ሰዋስው ትግርኛ ብሰፊሑ

ሰዋስው ትግርኛ ብሰፊሑ

ብ

ኣማኑኤል ሳህለ

The Red Sea Press, Inc.
Publishers & Distributors of Third World Books
11-D Princess Road
Lawrenceville, NJ 08648
RSP
P. O. Box 48
Asmara, ERITREA

The Red Sea Press, Inc.

Publishers & Distributors of Third World Books

11-D Princess Road  P. O. Box 48
Lawrenceville, NJ 08648   Asmara, ERITREA

Copyright © 1998 Amanuel Sahle   ኣማኑኤል ሳህለ

ምሉእ መሰል ደራሲ ዝተሓለወ እዩ፡፡

ናይ ገበርን መጽሓፍን ስእሊ ኣርት፡- ይግዛው ሚኪኤል
ናይ ገበር ዲዛይን ብኮምፕዩተር፡- ሊንዳ ኒክንስ

Cover art and book illustration: Yegizaw Michael
Cover Design: Linda Nickens

Library of Congress Cataloging-in-Publication Data:

Amanuel Sahle.
     Sewasiw Tigrinya bisefihu = A comprehensive Tigrinya
grammar / by Amanuel Sahle.
          p. cm.
     Text in Tigrinya.
     ISBN 1-56902-096-5 (pbk.)
     1. Tigrinya language--Grammar.   I. Title.
PJ9111.1.A53 1998
492'.835--dc21   98-26508
                                                       CIP

ምስጋና

ደራሲ ነዞም ዚስዕቡ ሰባት ከመስግን ይፈቱ።

ነቲ ብጻዕሩ እዛ መጽሓፍ ክትሕተም ዝኸኣለ ለዮናርዶ ኦሪዮሎ: ንበዓልቲ ቤተይ ንጽህቲ ገብረወልድ: ነቲ ነዚ ጽሑፍ'ዚ ኣብ ኮምፕዩተር ዘእተዎ ኣማኑኤል ተኸለ: ነቶም ኣብ ክትዕ ቋንቋ ትግርኛ ሓሳባት ዘካፈሉኒ ኣብ ሚኒስትሪ ዜና ዚሰርሑ ብጾተይ: ንዳኒኤል ተኸለማርያም (ጨንፈር ካሪክሉም) ኣብ ምእራም እተሓባበረኒ: ከምኡ'ውን ነቲ ግዜኡ ወፊዩ ኣብ ምስራዕ ገጻትን ምሕታምን እተሓባበረኒ ኣዛዚ ዘርአማርያም ምስጋና ይብጸሓዮም።

ገለ ሰባት ኣብ ምስጋና እተዘለሉ እንተሃለዉ: ደራሲ ኣቐዲሙ ይቕረታ ይሓትት።

ኣ.ሳ.

ACKNOWLEDGEMENTS

The author would like to thank the following:

Leonardo Oriolo, without whose help this book would not have seen the day, my wife, Nitzihti Ghebrewold, who encouraged me to continue the work, Amanuel Tecle who helped in typing the manuscript, my colleagues in the Ministry of Information with whom I had a lot of discussion during the time I gave short Tigrinya courses for journalists and Daniel Teclemariam, from the Curriculum Department, who made relevant corrections.

Finally I would like to thank Azzazi Zeremariam for elaborating the layout of the book.

The author apologises for any acknowledgements that might have been omitted and will be pleased to include them in subsequent editions.

A.S.

ትሕዝቶ

መቕድም

ነዚ መጽሓፍ'ዚ ክጽሕፍ ዝደረኸኒ ምኽንያት: ናይ ቋንቋ ትግርኛ ምዕሩይነት ንምድልዳል ኢዩ። እዚ ቋንቋ'ዚ ጌና መልክዑ ከይለወጠን ከይተበላሸወን ከሎ: ንዚመጽእ ወለዶ ኸኣ ኣብ ናይ ምድንጋርን ምድንጻውን ደረጃ ከየብጽሖም ከሎ: ኣብዚ ግዜ'ዚ ኣብ ምዕሩይን ጽፉፍን ኣገባብ እተመርኰሰ ሰዋስው ትግርኛ ኪዳለወሉ ግድን ይኸውን።

ነዚ ንምግባር ኣብ ናይ ኤውሮጳውያን ቋንቋታት ናይ ሰዋስው ኣፍልጦ ብምምርኳስ: ከምኡ'ውን ብመጠኑ ኣብ ቋንቋ ግእዝ ብምጽጋዕ: እንተኾነ ግን ብኣተናትናን ኣገላልጻን ሕጊ ኣወጻእጽኣን መዳይ፥ ብብሕቲ ሓሳብን ምርምርን ብምኻድ: ናጻ ዝኾነ ኣረኣእያ ተወሲዱ ኣሎ።

ሽሕ'ኳ ነቲ ቅድሚኻ እተጻሕፈን: ምርመራ እተገብረሉን መጻሕፍቲ ምምልካት ጽቡቕ እንተ ኾነ: ዝበዝሐ ግዜ ግን እዚ ርእይቶ'ዚ ኣብ ሰዋስው ቋንቋ ትግርኛ ዚሰርሕ ኣይመስልን። ነዚ ድማ ብኽልተ መገዲ ክምልሸሉ እኽእል። ቀዳማይ፤ እቲ ዝሓለፈ ትንተና ሰዋስው ትግርኛ ዳርጋ ኣብ ናይ ጣልያን ወይ ከኣ ኣብ ናይ ኣምሓርኛን ግእዝን ሕገ-ሰዋስው እተጸገዐ ኢዩ። ካልኣይ፤ ከምቲ ኣብ ምሉእ ዓለም ኣብ ልዕሊ ሰዋስው ዚግበር ዘሎ ለውጥን ምምሕያሽን: ኣብ ሰዋስው ትግርኛ'ውን እዚ ምምሕያሽ'ዚ ኪግበር ኣድላዪ ኢዩ።

እዚ ጽሑፍ'ዚ ነቶም ኣብ ላዕለዋይ ናይ ትምህርቲ ደረጃ ዘለዉ ተመሃሮን ንመምህራንን ከም መወከስን ኣድላዪ ኮይኑ ምስ ዚርከብ ከኣ: ከም መምሃርን ኪኸውን: ከምኡ'ውን ንህዝቢ ይጠቕሞ ኢዩ ብምባል እተዳለወ ኢዩ። እቶም ኣብ ላዕለዋይ ደረጃ ትምህርቲ ዘለዉ: ነዚ መጽናዕቲ'ዚ ብምምርማር: ኣእምሮኦም ናብኡ ብምቕናዕ: ካብዚ ተዋሂቡ ዘሎ ኣተናትና ዝለዓለን ዝበለጸን ምርምር ብምግባር: ነቲ ቋንቋ ሓደ ደረጃ ንላዕሊ ክብ ከብሉዎ ተስፋ ይግበረሎም። እቲ ነዚ ኺገብር ዕድልን ግዜን ዘይብሉ ሰብ ድማ: ነዚ ጽሑፍ'ዚ ብምንባብ: ብናይ ቋንቋ ኣጠቓቕማ ይኹን ብናይ ርእሰ ምእራም መገዲ: ገለ ጠቓሚ ዝኾነ ነጥብታት ከም ዚቐርም ተስፋ ኣሎኒ።

ኣማኑኤል ሳህለ

ኣስመራ: መስከረም 1997 ዓ.ም.

ሰዋስው ትግርኛ ብሰፊሑ

1ይ ምዕራፍ

ሰዋስው ማለት ሓሳባትና ክንገልጽ ክሎና: መስርዕ ዝሓለወን ኣገባብ እተኸተለን ናይ ቃላት ኣሰኻኽዓን ኣቀራርባን መገዲ ክንሕዝ ዚሕብረና መምርሒ ኢዩ። ሰዋስው ንቛንቋ ደረት ይሕንጽጸሉ: መልክዕን ቅጥዕን ከኣ የትሕዞ።

ናይ ትግርኛ ሰዋስው መደባት ወይ ከኣ ክፍልታት ሸሞንተ ኢዮም። ንሳቶም ከኣ፡-

1. ስም	5. ተውሳከ ግስ
2. ክንድስም	6. መስተጻምር
3. ግሲ	7. መስተዋድድ
4. ቅጽል	8. ቃለኣጋንኖ ይብሃሉ።

ክፍልታት ሰዋስው

ስም

ስም ኪብሃል ክሎ ነቲ ኣብ ኣእምሮ ሰብ ዚቕረጽ ግዙፍ ኮነ ወይስ ረቂቕ ነገር ዘመልክት ዘበለ ቃላት ዚጥርንፍ ክፍሊ ሰዋስው ኢዩ። እዚ ከኣ ሰብ: እንስሳ: ተኽሊ: ቦታ: ነገር: ባህሪ: ዓይነት: ኵነታት: ግብሪ: ፍጻመ: ወዘተ... ኪኸውን ይኽእል።

ንኣብ+ ኣብርሃም: ገመል: በለስ: ገጀረት: ዕርፊ: ድፍረት: ድቃስ: ስርቂ ወዘተ...።

ስም ሓሙሽተ ክፍልታት ኣለዎ።

1. ናይ ሓባር ስም	4. ናይ ግዙፍ ስም
2. ግላዊ ስም	5. ናይ ረቂቕ ስም
3. ናይ እኩብ ስም	

ስም

1. <u>ናይ ሓባር ስም</u> ኪብሃል ከሎ: ነቲ ኣብ ከባቢና እንርእዮ ብሓፈሻዊ መገዲ ድእ'ምበር: ብግላዊ መገዲ ዘይንረኽሖ ህያውን ዘይህያውን ነገራት የመልክት።

<u>ንኣብ</u>፥ ሰብኣይ: ከተማ: መጽሓፍ: ዑፍ

"ሰብኣይ" ኪብሃል ከሎ ንሓደ ሰብ እተዋህበ ስም ዘይኮነስ ንኹሉ ተባዕታይን እኹልን ዝኾነ ወድሰብ እንረኽሓሉ ስም ኢዩ።

2. <u>ግላዊ ስም</u> ክንብል ከሎና ግን: ነቲ ህይወት ዘለዎ ነገር ይኹን ወይስ ህይወት ዘይብሉ: ካብቶም ብዙሓት ንኣኡ ዝመስሉ ነገራት ክንፈልዮ ምስ እንደሊ እንጥቀመሉ ቃል ኢዩ።

<u>ንኣብ</u>፥ ገብረህይወት: ኣስመራ: እምባ ዓራቶ ...

"ገብረህይወት" ክንብል ከሎና: ንገብረህይወት ካብ ካልኦት ሰባት ፈሊናዮ ኣሎና ማለት ኢዩ። ከምኡ'ውን "ኣስመራ" ክንብል ከሎና: ነዛ ቦታ እዚኣ ካብ ካልኦት ከተማታት ፈሊናያ ማለት ኢዩ።

3. <u>ናይ እኩብ ስም</u> ንብዙሓት ተመሳሰልቲ ነገራት ናይ ሓባር መጸዋዕታ ዚህብ ቃል ኢዩ።

<u>ንኣብ</u>፥ ሰራዊት: ሕዝቢ: ማሕበር: ስድራቤት: ጻጸ: ንህቢ: ኣንበጣ ...

4. <u>ናይ ግዙፍ ስም</u> ነቲ ክርእን: ኪተሓዝን: ኪድህሰስን ጥራይ ዚኽእል ነገር ዚወሃቦ መጸዋዕታ ኢዩ።

<u>ንኣብ</u>፥ እምኒ: ገዛ: ሰብ: ጸሓይ ....*

5. <u>ናይ ረቂቅ</u> **ስም** ዚበሃል ግን፡ በተን ሓሙሽተ ህዋሳት ኪፍለጥ ዘይከኣል ዘበለ ኩሉ ነገራት ዜመልክት ኢዩ። ረቂቕ ስም ኣብ ኣእምሮ ጥራይ ኢዩ ኪቕረጽ ዚከኣል እምበር: ዚረአ ወይ ዚተሓዝ ኣይኮነን።

---

* ሓድሓደ ጊዜ'ውን ካብ ግሲ ዚወጽእ ግዙፍ ስም'ውን ኣሎ።

<u>ንኣብ</u>፥	ረቐቐ= ረቃቒቶ	ሓለኸ= ሓላኺቶ
	ዘረገ= ዘራጊቶ	በቈለ= ብቀ‐ልቶ ወዘተ...
	በረቀ= በራቒቶ	

ስም

ንኣብነ፡ ልመና፡ ባርነት፡ ሞት፡ ስርቂ፡ ቅብጣን...

ተወሳኺ፡ ኣብ ትግርኛ ካብ ግሲ፡ ረቂቕ ስም ይወጽእ ኢዩ።

ንኣብነ፡	ግሲ		ረቂቕ ስም
	ሓረቐ	=	ሕርቃን
	በረቐ	=	በርቂ
	በርሀ	=	ብርሃን
	መደረ	=	መደረ (“ደ” ይፈኹስ)
	ዝል በለ	=	ዝላ
	ቋሕ በለ	=	ቋሕታ
	ስቕ በለ	=	ስቕታ ....

ቅርጽታት ረቂቕ ስም

ኣብ ቋንቋ ትግርኛ ረቂቕ ስም ንምቛም ብዙሕ ዓይነት ኣገባባት ኣሎ፡ ኩሉ ድማ እተፈላለየን ነንሓድሕዱ ርክብ ዘይብሉን ቅርጽታት ኣለዎ።

ንኣብነ፡	ግሲ		ረቂቕ ስም	
	ቀተለ	(111)*	ቅትለት	(6616)
	ደቀሰ	(111)	ድቃስ	(646)
	በደለ	(111)	በደል	(116)
	ፈጸመ	(111)	ፍጻመ	(641)
	ዘመተ	(111)	ዝምታ	(664)
	መደረ	(111)	መደረ	(111)

ይኹን'ምበር ምስ “በለ” ወይ “ኣበለ” ዚዝውተሩ ድርብ ግስታት፡ ፍሉይ ሕጊ ኣለዎም፡ ንሱ ኸኣ ኣብታ መጀመርያ ቃል “ታ” ዚብል ድሕረ-ጥብቆ ምዝውታር ኢዩ።

---

* ኣብ ክንዲ ግእዝ፡ ካዕብ ምባል.... ብኣሃዛት ክንፈልዮ ኢና።

ንኣብነ፡ ግእዝ=1 ካዕብ= 2 ሳልስ= 3 ራብዕ= 4 ሓምስ= 5 ሳድስ= 6 ሳብዕ= 7

ስም

ንኣብነ	ግሲ	ረቒቕ ስም
	ቀስ በለ	ቀስታ
	ሰም በለ	ሰምታ
	ዓው በለ	ዓውታ

ሓድሓደ ግዜ ነቲ ቅጽል ወይ ስም ኣብ መወዳእታኡ "ነት" ዚብል ድሕረ-ቃል እናኣእተኻ እውን ረቒቕ ስም ይወጽእ ኢዩ።

ንኣብነ			
	ዓለማዊ	=	(ዓለማዊነት) = ዓለማውነት
	ባርያ	=	(ባርያነት)= ባርነት
	ናጻ	=	(ናጻነት)= ናጽነት
	ስዲ	=	(ስዲነት)= ስድነት
	ሃጸይ	=	ሃጸይነት

ኣበዛዝሓ ስም

ኣብ ቋንቋ ትግርኛ፡ ንሓደ ንጽል ስም ናብ ብዙሒ ንምልዋጥ እተሓላለኸ መገድታት ኣለዎ። ክሳብ ሕጂ'ውን ብቑዕ ሕጊ ኪወጸሉ ኣይተኻእለን። ዝበዝሕ ጊዜ ግን ኣብ መጠረስታ ናይቲ ንጽል ስም "ኣት" ዚብላ ፊደላት ብምእታው እቲ ስም ኪበዝሕ ይኽእል ኢዩ። ይኹን'ምበር ክልተ ኣናበብቲ ተላጊቦም ምስ

ዚመጹ: ነቲ ድምጺ ንምንጻር "ት" ዚብል መጠዓዓሚ ድምጺ ይኣትዎ ኢዩ

<u>ንኣብ፥</u> ኣቦ = ኣቦ+ት+ኣት = ኣቦታት

ሸፍታ = ሸፍታ+ት+ኣት= ሸፍታታት

እምባ = እምባ+ት+ኣት= እምባታት

ኣደ = ኣደ+ት+ኣት= ኣደታት

ሰማይ = ሰማይ+ኣት = ሰማያት

ቀላይ = ቀላይ+ኣት = ቀላያት

ንፋስ = ንፋስ+ኣት = ንፋሳት

ሓደ ካብቲ ንቃላት ትግርኛ ናብ ብዝሒ ንምልዋጥ ዘኸብዶ ምኽንያት: እቲ ቋንቋ ሓድሓድ ጊዜ ናይ ገዛእ ርእሱ ኣገባብ: ሓድሓደ ጊዜ ከኣ ናይ ግእዝን ዓረብን ኣገባብ እናተኸተለ ስለ ዚኸይድ ኢዩ።

<u>ንኣብ፥</u> መንበር = መንበራት = መናብር

ማንካ = ማንካታት = ማናኩ= መናኩ

ከልቢ = ኣኻልብ = ኣኽላባት

ገሊኡ ቃላት ግን ብመሰረቱ ሕጊ ኣይክተልን ኢዩ።

<u>ንኣብ፥</u> ላም = ኣሓ

ሰብኣይ = ሰብኡት *

ግራት = ግራሁ: ግራውቲ

ሰበይቲ = ኣንስቲ

ኣንጭዋ = ኣናጹ

ገሊኡ ከኣ <u>ኣ</u> እናኣቐደመ ይበዝሕ

<u>ንኣብ፥</u> በጊዕ = <u>ኣ</u>ባጊዕ ወዲ = <u>ኣ</u>ወዳት

ጓል = <u>ኣ</u>ዋልድ ዘርኢ = <u>ኣ</u>ዝርእቲ

ሰበይቲ = <u>ኣ</u>ንስቲ ቈጽሊ = <u>ኣ</u>ቖጽልቲ

ፈለግ = <u>ኣ</u>ፍላጋት ፈረስ = <u>ኣ</u>ፍራስ

---

* ኣብ ሓድሓደ ቦታታት "ኣሰብኡት" ኪብሃል ይስማዕ፥ ግን ቅኑዕ ኣይኮነን።

ስም

ተመን = አትማን

እኩብ ስም ኣይረብሕን ኢዩ።

ንኣብ፥ ጻጸ: ንህቢ: ህዝቢ: ኣንበጣ።

ከምቲ ኣብ ኩሉ ቋንቋታት ነቲ ኪዕቀን ደኣምበር ኪቝጸር ዘይከኣል: ብዝሒ ዘይወሃቦ: ኣብ ትግርኛ'ውን ከምኡ ኢዩ።
ንኣብ፥ ሽኮር: ጠስሚ: ማይ: ሻሂ: ኪዕቀን ደኣምበር ኪቝጸር ስለ ዘይከኣል ናይ ብዝሒ ኣገባብ የብሉን። ዝኾነ ኮይኑ ሽኰሩር: ኣጣስም: ሻሂታት ኪብሃል ይሰማዕ ኢዩ። እዚ ግን ከም ቅኑዕ ኮይኑ ኪውሰድ ኣይግባእን። እቲ ዝሓሸ ግን ብመዐቀኒ ጌርካ ምብዛሑ ኢዩ።

ንኣብ፥ ክልተ ኣበሰንቲ ጠስሚ: ሓሙሽተ ኪሎ ሽኮር: ክልተ ማንካ ሻሂ

ተወሳኺ

ኣብ ቋንቋ ትግርኛ ሓደ ስም ኪበዝሕ ከሎ ብልምዲ ኮነ ብቕጥዒ ምስኣን 10 ኣገባብ ይረኣየሉ። ከም ሓሳባዊ ኣብነት ኪኾነና "ከልቢ" ዝብል ቃል ወሲድና (ንማለቱ) ነርብሓዮ።

ነጻላ	ብዝሒ
ከልቢ	1.ኣኽላባት = 4.6.4.4.6
	2. ኣኻልብ = 4.4.6.6
	3. ኣኽላብ = 4.6.4.6
	4.ኽላቡ(ኽለብው)=1.4.2 (1.1.6.ው)
	5. ከልብታት= 1.6.6 ታት
	6. ኣኽልብቲ= 4.6.6.6. ቲ
	7. ከለቡ = 1.1.2
	8. ከልባውቲ = 1.6.4. ውቲ
	9. ኣኻልብውቲ= 4.4.6.6. ውቲ
	10.ከል-ባ-ውንቲ=ናይቲ ቃል መጀመ

ሪያ ክልተ ጥምረ-ድምጺ (ሲላብል) + ውንቲ

ስም

እዚ ኣብ ላዕሊ እተጠቕሰ ኣገባብ ግን ን "ክልቢ" ክምቲ ኣብ ቍጽሪ 1 ወይ 2. ተጠቒሱ ዘሎ ጥራይ ነብዝሖ እኳ እንተ ኾነ: ዝኾነ ስም ትግርኛ ካብዚ 10 ኣገባባት ሓደ ወይ ክልተ ወይ ሰለስተ ኣገባብ ይጥቀም ኢዩ።

<u>ንኣብ፥</u> ክም ቍ. 1. እልፊ= ኣእላፋ(ት)
ክም ቍ. 2. በትሪ= ኣባትር
ክም ቍ. 3. ፈረስ= ኣፍራስ
ክም ቍ. 4. ደርሆ= ደራሁ (ደረውሀ)
ክም ቍ. 5. ነጥቢ= ነጥብታት
ክም ቍ. 6. ዘርኢ= ኣዝርእቲ
ክም ቍ.7. ደርሆ= ደረሁ: ደራሁ: ደርሁ
ክም ቍ. 8. ዓራት= ዓራውቲ
ክም ቍ. 9. ጤል= ኣጣውልቲ
ክም ቍ. 10. ሰይጣን= ሰይጣውንቲ

ክምኡ'ውን ብ"ውቲ" "ውንቲ" "ቲ" ዚውድኡ ቃላት እዞም ዚስዕቡ ኣለዉ።

ክዳን= ክዳውንቲ፡ ሊቕ= ሊቃውንቲ*
ክሳድ= (ክሳድውቲ) ክሳዳውቲ= ክሳውዲ
መስፍን= መሳፍንቲ ወዘተ...
ሓድሓደ ጊዜ ነቲ ማእከላይ ፊደላቶም እናደጋገሙን "ወ" "ቲ" እናወሰኹን ዚበዝሑ ኣለዉ።
<u>ንኣብ፥</u> ብሩር= በራውር
ወረቐት= ወረቓቕቲ

ክምኡ'ውን ብ"ኣ" ጀሚሮም ብ"ቲ" ዚውድኡ ኣለዉ።

ዓጽሚ= ኣዕጽምቲ
ኣምላኽ= ኣማልኽቲ

---

* ሊቕ= ሊቃውንቲ ("ን" ዚብል ፊደል የእቱ)። ግን'ከ እቶም ብ"ን" ዚውድኡ ስማት ኪበዝሑ ከለዉ "ውንቲ" ዚውስኹ ይመስሉ <u>ንኣብ፥</u> ሕጻን= ሕጻውንቲ፡ ሚዛን = ሚዛውንቲ ወይ ሚዛናት፡ ክዳን = ክዳውንቲ፡ ርሻን= ርሻውንቲ ወይ ርሻናት።

ስም

ጋኔን= ኣጋንንቲ ወዘተ...

<u>ጾታ</u>

ኣብ ቋንቋ ትግርኛ: ብዘይካ እቶም ህይወት ዘለዎም እሞ ተባዕትዮን ኣንስትዮን ምዃኖም ብጭቡጥ መገዲ ኪፍለጡ ዚኽእሉ: ካልኦት ኩሎም ብልምዲ እተወሰነ ጾታ ኢዮም ዚወስዱ።

<u>ንኣብ፥</u> <u>ብዕራይ</u> ኢልና <u>ላም</u> ንብል። <u>ገንሸል</u> ኢልና <u>ሸበን</u> ንብል።

<u>ከምኡ'ውን፥</u> ወዲ= ጓል: ሓው= ሓውቲ: ኣቦ= ኣደ: ኣንበሳ= ዋዕሮ: ዲበላ= ጤል: ሰብኣይ= ሰበይቲ

ብዝተረፈ ከም ኣንስትዮ እንወስዶም ነገራት ከምኒ <u>ጸሓይ</u>: <u>ወርሒ</u>: <u>ዓለም</u>: <u>ዑፍ</u>: <u>ዳዕሮ</u>: <u>ወይኒ</u>: <u>በቕሊ</u>: <u>ባቡር</u>: <u>ነፋሪት</u>: <u>ኣውቶቡስ</u>: ወዘተ... ኪኾኑ ከለዉ: ከም ተባዕትዮ ኮይኖም ዚዝውተሩ ከኣ ከምኒ <u>ማይ</u>: <u>ባሕሪ</u>: <u>ንፋስ</u>: <u>ደበና</u>: <u>ፈረስ</u>:* <u>ዝብኢ</u>: <u>ገበል</u>: ወዘተ... ኢዮም።

<u>ብተወሳኺ</u> ነቲ ካብ ግሲ ዚመጽእ ቅጻላዊ ስም ኣብ መወዳእታ "ት" ዝብል ፊደል እናወሰኽና ናብ ኣንስታይ ጾታ ንልውጦ ኢና።

<u>ንኣብ፥</u> ጸሓፊ = ጸሓፊ<u>ት</u>
ሓላዊ = ሓላዊ<u>ት</u>
ኤርትራዊ = ኤርትራዊ<u>ት</u>

ግን እቲ ቅጽላዊ ስም ካብ ግሲ እተወስደ (ማለት ሳድስ ቅጽል) ምስ ዚኸውን ናብ ኣንስታይ ጾታ ኪልወጥ ከሎ ፍልይ ዝበለ እገባብ ይኸተል፥

<u>ንኣብ፥</u> ጽሑፍ= ጽሕፍቲ 6.2.6.= 666+ቲ
ብሩኽ= ብርኽቲ 6.2.6.= 666+ቲ
ቅሙጥ= ቅምጥቲ 6.2.6.= 666+ቲ

---

* ገለ እንስሳታት ግን ብተባዕትዮ'ኳ ዚፍለጡ እንተ ኾኑ ፍሉይ ናይ ኣንስታይ መጸውዒ'ውን ኣለዎም ንኣብ፥ ፈረስ= ባዝራ ዝብኢ= ብጭር ወዘተ

ክንድስም

ስለዚ፥ 6.2.6.= 6666+ቲ።

ሓድሓደ ጊዜ ብህዋሳት ኪፍለጡ ዘይክእሉ ረቀቕቲ ሓሳባት'ውን ልማዳዊ ጾታ ይወሃቦም ኢዩ።

ንኣብ፥ ሞት (ኣንስታይ)፡ ጓሂ (ተባዕታይ)፡ ራህዋ (ኣንስታይ) ወዘተ.... ግን ሕጻን፡ ደቂ፡ ሓኪም፡ ወትሃደር፡ መምህር... ጾታ ኣልቦ ኢዮም።

ንኣብ፥ እቲ ሕጻን = እታ ሕጻን

እቶም ደቂ = እተን ደቂ

እቲ መምህር = እታ መምህር

ክንድስም

ክንድስም ኣብ ክንዲ ሰብን ነገራትን ቦታታትን ብምእታው ዘገልግል ክፍሊ ሰዋስው ኢዩ። እንተኾነ ግን ከም ኣኸራሪ እንተዘይኮይኑ ብዝኾነ ይኹን መገዲ ምስ ስም ኪጽጋዕ ኣይክእልን።

ንኣብ፥ በላይ እንስሳ ቀቲሉ ክንብል ከሎና "በላይ" ስም ኢዩ። ንሱ ኣንበሳ ቀቲሉ ክንብል ከሎና ግን "ንሱ" ኣብ ክንዲ "በላይ" ስለ ዝኣተወ ክንድስም ኢዩ።

ከምኡ'ውን፥ 1. ባናና በሊዑ "ባናና" ስም ኢዩ።

በሊዑዎ ክንብል ከሎና ግን "ዎ" ኣብ ክንዲ "ነቲ ባናና" ስለ ዝኣተወ ክንድስም (ክ.ስም) ኢዩ፡ ተሰሓቢ'ውን ኢዩ።

2. እቲ ኣንበሳ (ነተን ከብቲ) በሊዑወን።

በሊዑወን ክንብል ከሎና "ወን" ኣብ ክንዲ "ከብቲ" ስለ ዝኣተወ ክ.ስም ኢዩ።

ክንድስም ዘይንጥቀም ኔርና እንተ ንኸውን እቲ እንጽሕፎን እንዛረቦን ከመይ ምመምሰለ ነይሩ፧ እስከ ንመልከት፥

ንኣብ፥ ኣምለሶም ንኣቦኡ ይፈትዎም ኢዩ፡ ኣቦኡ'ውን

---

* ንሱ፡ በላይ እንስሳ ቀቲሉ (ንሱ "ባዕሉ" ከም ማለት የገልግል)

ክንድስም

ንኣምለሶም ይፈትዉዎ ኢዮም።

ስለዚ ኣብ ክንዲ ኣቦኡ'ውን: ንሶም'ውን ጌርና እንተ ተካእናዮ ዝሓጸረ ይኸውን።

ኣብ ክንዲ ንኣምለሶም ይፈትዉ ከኣ: ይፈትዉዎ ምባል ነቲ ምሉእ ሓሳባት የሕጽሮ።

ኣስተውዕል፥ እታ "ዎ" እትብል ፊደል "ንኣምለሶም" ትትክእ ከም ዘላ ምዝካር የድሊ።

ክፍልታት ክንድስም

ክንድስም ትሽዓተ ክፍልታት ኣለዎ:-

1. ግላዊ ክንድስም
2. ኣመልካቲ ክንድስም
3. ዘይውሱን ክንድስም
4. ኣዛማዲ ክንድስም
5. ናይ ሕቶ ክንድስም
6. ናይ ኣሃዝ ክንድስም
7. ኣንጸባራቒ ክንድስም
8. ሓድሕዳዊ ክንድስም
9. ናይ ዋንነት ክንድስም

1. ግላዊ ክንድስም ዚብሃል ነቲ ዚዛረብ ዘሎን: ዚዝረቦ ዘሎን: ዚዝረበሉ ዘሎን ሰብ ዘመልክት ክፍሊ ክንድስም ኢዩ። እቲ ዚዛረብ ዘሎ ቀዳማይ ኣካል: እቲ ዚዝረቦ ዘሎ ካልኣይ ኣካል: እቲ ዚዝረበሉ ዘሎ ከኣ ሳልሳይ ኣካል ይብሃል።

ቀዳማይ ኣካል- ኣነ (እየ): ንሕና (ኢና)

ካልኣይ ኣካል-ንስኻ (ኢኻ): ንስኺ (ኢኺ): ንስኹም (ኢኹም): ንስኻትኩም (ኢኹም): ንስኽን (ኢኽን): ንስኻትክን (ኢኽን)

ሳልሳይ ኣካል- ንሱ (ኢዩ): ንሶም (ኢዮም): ንሳ (ኢያ): ንሰን (ኢየን): ንሳተን (ኢየን): ንሳቶም (ኢዮም)

ክንድስም

ግላዊ ክንድስም ዋንነት እውን የመልክት ኢዩ።

<u>1ይ ኣካል</u>	<u>ካልኣይ ኣካል</u>	<u>3ይ ኣካል</u>
ናተይ	ናትካ: ናትኪ ናቱ:	ናታ: ናቶም: ናተን
ናትና (ንጽል)	ናትኩም: ናትክን	ናታቶም: ናታተን:
	ናታትኩም: ናታትክን	

<u>ግላዊ ክንድስም</u> ተሰሓቢ* እውን ይኸውን ኢዩ።

<u>ንኣብ፥</u> ኣነ ንግርማይ ሃሪመዮ= ኣነ ን<u>ኣኡ</u> ሃሪመ<u>ዮ</u>።

እተን "ኣኡ" ዚብላ ፊደላት ኣብ ክንዲ ግርማይ ስለ ዝኣተዋ: ክንድስም ኢየን። ከምኡ'ውን እቲ ማህረምቲ ናብ ግርማይ ዚሓልፍ ስለ ዝኾነ እታ "ኣኡ" እትብል ጭራም ቃል ተሰሓቢት ኢያ። እታ "ዮ" እትብል ጭራም'ውን ከምኡ ን"ግርማይ" ኢያ እተመልክት። (ኣብ ትግርኛ ሓደ ምሉእ ሓሳባት ክልተ ተሰሓቢ ክ.ስም ኪህሉዎ ይኽእል ኢዩ።)

<u>1. ተሰሓቢ ክንድስም</u>

ሀ. <u>1ይ ኣካል</u>	<u>2ይ ኣካል</u>	<u>3ይ ኣካል</u>
ንኣይ ንኣኻ	ንኣኹም	ንኣኡ ንኣኣ
ንኣና ንኣኺ	ንኣኽን	ንኣኦም ንኣኤን
	ንኣኻትኩም ንኣኻትክን	ንኣታቶም ንኣታተን

<u>ተሰሓቢ ክንድስም</u>

<u>ኣነ</u>	<u>ንሱ</u>
ንኣኻ ሃሪመ<u>ካ</u>	ንኣይ ሃሪሙ<u>ኒ</u>
ንኣኺ ሃሪመ<u>ኪ</u>	ንኣኻ ሃሪሙ<u>ካ</u>
ንኣኡ ሃሪመ<u>ዮ</u>	ንኣኺ ሃሪሙ<u>ኪ</u>
ንኣኣ ሃሪመ<u>ያ</u>	ንኣኡ ሃሪሙ<u>ዎ</u>
ንኣኻትኩም ሃሪመ<u>ኩም</u>	ንኣኣ ሃሪሙ<u>ዋ</u>

---

* ተሰሓቢ= እቲ ኣብ ርእሲኡ ሓደ ተግባር ዚፍጸመሉ ዘሎ ሰብ ወይ ነገር ኢዩ።ገጽ <u>49</u> ረአ

ክንድስም

ንኣኻትክን ሃሪመክን	ንኣና ሃሪሙና
ንኣታቶም ሃሪመዮም	ንኣኻትኩም ሃሪሙኩም
ንኣታተን ሃሪመየን	ንኣኻትክን ሃሪሙክን
	ንኣታቶም ሃሪሙዎም
	ንኣታተን ሃሪሙወን

2. **ኣመልካቲ ክንድስም** ዚብሃሉ ንሰብን: ንነገራትን: ንቦታታትን: ዘመልክቱ ዚሕብሩን ስም ዘየኽትሉን ቃላት ኢዮም።

	ንጽል ተባዕታይ ብዙሕ	ንጽል ኣንስታይ ብዙሕ
(ቀረባ)	እዚ (እዚኦም)እዚኣቶም	እዚኣ (እዚአን)እዚኣተን
(ርሑቕ)	እቲ (እቲኦም) እቲኣቶም	እቲኣ(እቲአን)እቲኣተን

ንኣብ፥ እዚ ምቁር ኢዩ: እቲ መሪር ኢዩ: እዚኣ ተማሂራ ኢያ: እቲኣ ኣይተማህረትን: እቲኣቶም ቀጠፍቲ ኢዮም ...

3. **ዘይውሱን ክንድስም** ኪብሃል ከሎ ኣብ ክንዲ ንጹርን ውሱንን ዘይኮነ ስም ብሓፈሻ ዚኣቱ እምበር: ንሓደ ነገር: ወይ ቦታ: ወይ ከኣ: ሓሳባት ነጺሩ: ፈልዩ ዘይትክእ ክፍሊ ክ.ስም ኢዩ።

ኩሉ	ነፍስ ወከፍ	መላእ	ወላሓደ
ካልእ	ብኹሉ	ኩሉ-ነገር	ወላሓንቲ
ገለ	መብዛሕትኡ	ገዛእ-ርእሲ	
ዝኾነ	ሓደ-ሓደ	ገለ ...	

ንኣብ፥ ብዙሕ ተሪፉና ኣሎ: ሓደ ሰብ ጕዲሉ ኣሎ: ኩሉ ተበላሽዩ: ካልእ ሃበኒ: ገለ'ኳ ኣይጐደለንን: ገለ ውሰድ: ወላሓንቲ የብለይን ...።

እዞም ኣብ ላዕሊ እተጠቕሱ ዘይውሱናት ክ.ስም ኣብ ቅድሚ ስም ኪስርዑ ከለዉ ቅጽል ይኾኑ።

ንኣብ፥ ኩሉ ኣብያተ ትምህርቲ ክንብል ከሎና "ኩሉ" ቅጽል ኢዩ (ምስ ስም ስለ እተጸገዐ)

ክንድስም

ኩሉ ኣምጽኣዮ- ክንብል ከሎና ግን "ኩሉ" ክ.ስም ኢዩ። (ምስ ስም ስለ ዘይተጸግዐ)

ከምኡ'ውን ከም ቅጽል ኪኣቱ ከሎ፥ ብዙሕ ሰብ፡ ገለ ምኽንያት ወዘተ...

ተወሳኺ፥ ናይ "ኩሉ" ገጽታ

"ሀ"	"ለ"
ኩሉና	ኩላትና
ኩሉኹም	ኩላትኩም
ኩሉኽን	ኩላትክን
ኩሎም	ኩላቶም

ሓድሓደ ጊዜ እቶም ኣብ ትሕቲ "ሀ" ዘለዉ ከም ቅጽል እቶም ኣብ ትሕቲ "ለ" ዘለዉ ከኣ ከም ክንድስም ይዝውተሩ ኢዮም።

ንኣብ፥ ሀ) ከም ቅጽል፥ ኩሎም ተመሃሮ ጽባሕ ይምጽኡ።

ለ) ከም ክንድስም፥ ኩላቶም ይምጽኡ።

4. ኣዛማዲ ክንድስም ዚብሃል ከም ክንድስም ኮይኑ ከብቅዕ: ንኽልተ ምሉእ ሓሳባት: ወይ ሓረጋት: ዘዛምድ ኢዩ።

እዚ	ዝ (እ)..................
እቲ	ዝ (እ)..................
እዛ	ዝ (እ)..................
እታ	ዝ (እ)..................
እዞም	ዝ(እ)..................
እቶም	ዝ (እ)..................
እዘን	ዝ (እ)..................
እተን	ዝ (እ)..................

ንኣብ፥ እታ ዝነደደት ቤት። እቶም እንምህሮም ሕጻናት። እቲ እንበልዖ ስጋ።

"እታ ዝነደደት ቤት" ኪብሃል ከሎ "ዝ" ኣብ ክንዲ "ቤት"

ክንድስም

ኢያ ኣትያ ዘላ

<u>ንኣብ፥</u> "እታ ዝነደደት ኣበይ ኣላ፡" ኢልና ክንሓትት ከሎና፡ እታ "ዝ" እትብል ቃል ንቤት ተመልክት ኣላ ማለት ኢዩ።

ንመረዳእታ ኪኾነና፥

(ሀ) 1. ኣኮይ ኣብ ከረን ኣሎ 2. ኣኮይ ሃብታም ኢዩ።
እዘን ክልተ ምሉእ ሓሳባት ኪዛመዳ ከለዋ ከምዚ ዚስዕብ ይኾና፥

(1)+(2)= እቲ ኣብ ከረን (<u>ዝ</u>ኣሎ) ዘሎ ኣኮይ ሃብታም ኢዩ።

(ለ) 1.እቲ ስጋ ጨንዩ ነበረ 2. እቲ ስጋ ተደርቢዩ

(1)+(2)= እቲ <u>ዝ</u>ጨነወ ስጋ ተደርብዩ

(ሐ) 1. እቲ ስጋ ተበሊዑ 2. እቲ ስጋ ጥዑይ ኣይነበረን

(1)+(2) =እቲ <u>እ</u>ተበልዐ ስጋ ጥዑይ ኣይነበረን

(መ) 1. መጽሓፍ ተተርጒመ 2. ሸይጠዮ

(1)+(2) =እቲ <u>እ</u>ተተርጒመ መጽሓፍ ሸይጠዮ።

<u>ኣዛማዲ ክንድስም ዝሓዘለ ሕቶ</u>

(ሀ) ኣበይ ኢዩ እቲ <u>እ</u>ትበልዓሉ ቤት ምግቢ፧

(ለ) ንኣኡ ዲ'ኻ (ዶ ኢኻ) <u>እ</u>ትደሊ፧

(ሐ) ርሑቕ ዲ'ኻ <u>እ</u>ትኸይድ፧

(መ) ርሑቕ ዲ'ዩ (ዶ ኢዩ) እቲ <u>እ</u>ትኸዶ

(ሰ) ርሑቕ ዲ'ዩ (ዶ ኢዩ) እቲ <u>እ</u>ንኸዶ

ሓደ ሕቶ <u>ኣዛማዲ ክ.ስም</u> ምስ ዚሓዝል እቲ ናይ ምህላው ግስ (ማለት እቲ ግላዊ ግስ "ኢዩ" ይኸውን። ስለዚ:

ኣበይ ኢኻ እቲ እትኸዶ፧ ዘይኮነስ <u>ኣበይ ኢዩ እቲ እትኸዶ</u>፧ ምባል ይምረጽ: ከምኡ'ውን.....

ክንድስም

..... ኣበይ <u>ኢዩ</u> ዓድኻ፧

ኣበይ ኢዩ	(እቲ) ዓድኺ፧
መዓስ ኢዩ	(እቲ) መርዓኻ።
መዓስ ኢዩ	(እቲ) መርዓኺ።
በየን ኢዩ	(እቲ) ገዛኺ፧
ክንደይ ኢዩ	(እቲ) ዋግኡ፧*
እንታይ ኢዩ	(እቲ) ጭንቅኻ፧
ከመይ ኢዩ	(እቲ) ናብራኦም፧

<u>ኣስተውዕል</u>፥ መዓስ ኢዩ "ዝ" ዚኣቱ መዓስ ኢዩኸ "እ"ዚኣቱ ዚብል ሕቶ ኪለዓል ይከኣል'ዩ።

"ዝ" ወይ "ዚ" ኣብ ሰራሒ ህልዊ ወይ ሕሉፍ ግሲ (ንጡፍ) ኪኣቱ ከሎ "እ" ግን ኣብ ተሰራሒ ግሲ (ልኡም) ኢዩ ዚኣቱ።

<u>ንኣብ፥</u>	<u>ግሲ</u>	<u>ተሰራሒ</u>
	በልዐ	ተበልዐ = እተበልዐ
	<u>ግሲ</u>	<u>ሰራሒ</u>
	በልዐ	ይበልዕ =ዝበልዕ
		ወይ ከኣ (ይ+ዝ=ዚ)=ዚበልዕ

<u>መጠንቀቕታ:</u>

"እ" እውን ከም ኣዛማዲ ክንዲስም ኣብ ቅድሚ "ት" ከምኡውን ኣብ ቅድሚ "ን" "ነ" ህሉው ግዜ ይኣቱ ኢዩ።

<u>ንኣብ፥</u>	<u>ግሲ</u>	<u>ሰራሒ</u>	<u>ተዛማዲ</u>
	በልዐ	ትበልዕ	እትበልዕ

---

* ክንደይ ኢዮም (እቶም) ደቅኻ፧ እውን ንብል ኢና ምኽንያቱ ከኣ "ደቅኻ" ብዙሕ ስለ ዝኾነ

ክንድስም

ንኣብ፥ኣታ እትበልዕ ዘሎኻ ቀስ በል። እቶም እንበልዕ ዘሎና ንጠንቀቕ።

> ተወሳኺ፥ ክምኡ'ውን "ዝ" "እ" ምስ ቅጽል ኮይኑ የገልግል ኢዩ።

ንኣብ፥ ነዊሕ ዝቖመቱ ሰብኣይ
ቀዩሕ ዝጸጕራ ሰበይቲ
ሰኸራም ዝሰብኣያ መርዓት
መከራ ዝመልኦ ስራሕ
ብወርቂ እተለበጠት ሰዓት

5. ናይ ሕቶ ክንድስም ናይ ሕቶ ምሉእ ሓሳባት ወይ ሓረጋት ንምቕራብ የገልግል።

በዓል ቤት	ናይ ዋንነት	ተሰሓቢ
መን	ናይ መን	ንመን
ኣየናይ	ኣየነይቲ ናየናይ ናየነይቲ ንኣየናይ	ንኣየነይቲ
እንታይ	ናይ እንታይ	ንምንታይ (ንእንታይ)
ብዝሒ፥መኖት	(መነመን) እንመን	ናይ መኖት
ኣየኖት	ናይ ኣየኖት	ንኣየኖት (ነየኖት)
እንታዎት	ናይ እንታዎት	ንእንታዎት
ክንደይ	ናይ ክንደይ	ንኽንደይ

ክምኡ'ውን ብ እንታዋይ ክንጥቀም ከሎና

	ነጸላ	ብዝሒ
ተባዕታይ፥	እንታዋይ	እንታዎት
ኣንስታይ፥	እንታወይቲ (እንታወተይቲ)	እንታዎት (እንታወቶት)

ንኣብ፥ መን ኢዩ ዝኸሓደኒ፧

እንታዋይ ኢዩ ኪበኣሰኒ ዚመጽእ ዘሎ፧ ንምንታይ ኣቢኻ፧

ክንድስም

አየናይ ኢዩ ቀታል ኣቦኻ፧ ንመን ክንመርጽ፧ እንታይ ወሪዱካ፧ መነመን ኢዮም መኻርትኻ፧ ናይ መን ኢዩ እዚ፧ ወዘተ...

6. ናይ ኣሃዝ ክ.ስም ውሱን ብዝሒ፡ ዓቐን፡ መጠን ወይ ቊጽሪ ይነግር። ንተርታዊ ቊጽርን ንመዓርጋዊ ቊጽርን ከኣ የመልክት። እንተኾነ ግን እቲ ዚቝጸር ዘሎ ነገር ብዘይ ስም ኪዝውተር ይግባእ።

i. ተርታዊ ቊጽሪ= ሓደ: ክልተ: ሰለስተ: ኣርባዕተ: ወዘተ...

ii. መዓርጋዊ ቊጽሪ= ቀዳማይ: ካልኣይ: ሳልሳይ: ራብዓይ: ወዘተ...እናበለ ይኸይድ።

ኣብ ተርታዊ ኣቈጻጽራ ብዘይካ "ሓደ" ኢልካ "ሓንቲ"ምባል ጾታ ኣይፈልን ኢዩ።

ኣብ መዓርጋዊ ኣቈጻጽራ ግን ቀዳማይ: ቀዳመይቲ ካልኣይ፡ ካልኣይቲ ወዘተ... እናበለ ጾታ ይፈሊ።

ክሳዕ 'ዓሰርተ' ዘሎ ኣገባብ ፍልይ ዝበለ ኪኸውን ከሎ: ካብ ዓሰርተ ንላዕሊ ግን 'መበል' ዚብል ቃል ኣብ ቅድሚኡ እናኣእተወ መዓርግ ይገልጽ።

ንኣብ፥ መበል ዓሰርተ ሓደ: መበል ዓሰርተ ክልተ ወዘተ...።

ኣብ ምሉእ ሓሳብ ኪኣቱ ከሎ ንመልከት፥

ሓደ ካባና ሰራቒ ኢዩ። ክልተ ሃባ። ሓምሳ ነይሮም ኣርባዕተ ተሪፎም። ካልኣይ ወሊዱ። ዓስራይ ነይሩ ሕጂ ግን ሓምሻይ ኮይኑ። መበል ዕስራ ወጺኡ። በላዕ ክልተ።

7. ኣንጸባራቒ ክንድስም ክንብል ከሎና እቲ ክ.ስም ከም ተሰሓቢ ኮይኑ ከብቅዕ: ናብቲ በዓልቤት ከንጸባርቕ ከሎ ኢዩ። ኣንጸባራቒ ክ.ስም ዚብሃሉ ከም እኒ ንገዛእ ርእሱ: ንባዕሉ ዚኣመሰሉ ኢዮም።

ክንድስም

ሀ. ንገዛእ ርእሰይ: ንገዛእ ርእሳ: ንገዛእ ርእሱ ወዘተ...

ለ. ንባዕለይ: ንባዕላ: ንባዕሉ ወዘተ...

ንኣብ፥ i. ኣነ ንገዛእ ርእሰይ እፈትዋ

ii. ንሱ ንገዛእ ርእሱ ይፈትዋ

እምበኣር ኣብ ቍ. i. ንሱ ንመን ይፈትዋ፧ ኢልና ምስ እንሓትት፡ መልሱ ንገዛእ ርእሱ ኢዩ።

iii. ገብረ ንገዛእ ርእሱ ይፈትዋ።

ገብረ ንመን ይፈትዋ፧ ንገዛእ ርእሱ። (ብሓጺሩ) ገዛእ ርእሱ ክንብል ከሎና "ገብረ" ማለትና ኢዩ። ስለዚ ገዛእ ርእሱ ኣብ ክንዲ 'ገብረ' ስለ ዝኣተወ ኣንጸባራቒ ክ.ስም ኢዩ: ከመይሲ ነቲ በዓል ቤት ስለ ዘንጸባርቕ።

ሓድሓደ ጊዜ ግን እቲ ተዘርዚሩ ዘሎ ቃል ከም መንጸባራቒ ዘይኮነስ ከም መረጋገጺ ኮይኑ ይሰርሕ ኢዩ።

(ሀ) ኣነ ባዕለይ ኪቐትሉዎ ከለዉ ርእየ (ኣብቲ ቦታ ነይረ)

(ለ)ንሳቶም ባዕላቶም ይመስክሩ (ካልእ መስካሪ ኣየድልዮምን)

(ሐ) ንሳ ባዕላ ርእያትኒ (ካልእ ሰብ ዘይኮነስ፡ ንሳ)

ኣብዘን ተጠቒሰን ዘለዋ ሰለስተ ምሉእ ሓሳባት ባዕለይ ባዕላቶም ባዕላ ንመዳመቒ ደኣምበር ካልእ ስራሕ ከም ዘይብሎም ንምርዳእ ብዘይ ብኣታቶም እተን ምሉእ ሓሳባት ቅኑዓት ከም ዝኾና ኪረጋገጽ ይከኣል፥

(ሀ) ኣነ... ኪቐትሉዎ ከለዉ ርእየ

(ለ) ንሳቶም... ይመስክሩ

(ሐ) ንሳ... ርእያትኒ

8. ሓድሕዳዊ ክንድስም ነቲ ኣብ መንጎ ክልተ ወይስ ካብኡ ዚበዝሕ ቍጽሪ ዚመሓላለፍ ግብርታት ንምምልካት ከም ክ.ስም ኮይኑ ዘገልግል ቃል ኢዩ።

ክንድስም

_ነንሕድሕድና: እቲ ሓደ ነቲ ሓደ: እቲ ሓደ ንኻልእ: ንነፍስ ወከፍኩም ...

_ እቶም ሰለስተ ሰረቕቲ ነንሓድሕዶም ተቓቲሎም።

እንጌራ እንተ ኣለኩም እቲ ሓደ ነቲ ሓደ ይምቀሎ።

9. **ዋንነት ክ.ስም**

ናተይ: ናትካ: ናቱ ...

ንኣብ፥ እዚ ናትካ ኢዩ። (ገጽ11 ግላዊ ክ.ስም ተመልከት)

ረቛሒ ወይ ጸዋዒ ክ.ስም

እቶም ክ.ስም ዚመስሉ: እንተኾነ ግን ብዘይካ ንመጸዋዕታ ካልእ ስራሕ ናይ ክ.ስም ዘይሰርሑ: ጸዋዕቲ ወይ ከኣ ረቛሕቲ ክ.ስም ንብሎም።

ኣታ (ኣንታ): ኣቲ (ኣንቲ): ኣቱም (ኣንቱም) ኣትን (ኣንትን)

ንኣብ፥ ኣታ! ኣበይ ጸኒሕካ

ኣቲ! ክንደይ ትጭክኒ

ኣቱም! መዓስ መጻእኩም

ኣንትን! ብዓባይክን ትቋየቛ

ግሲ

ግሲ ግብርን ኩነታትን ሃለዋትን ዘመልክት ክፍሊ ሰዋስው ኢዩ። ብዘይ ግሲ ሓደ ጽሑፍ ወይ ዘረባ ሓሳባቱ ኪዓጹ ኣይክእልን ።

ንኣብ፦ ኣነ እበልዕ። ንሱ ኢዩ። እቲ ከልቢ ሞይቱ። ንሳቶም ኣይመርሑን። ጽባሕ ክነቅል ኢዩ። ኣነ ንጉስ እንተዝኸውን ወርቂ መኪና ምገዛእኩ ነይረ። ሃይለ ኣንበሳ ቀቲሉ።

እዞም ኣብ ትሕቲኦም ተሰሚሮሎም ዘለው ቃላት ግስታት ኢዮም። ገሊኦም ናይ ሕሉፍ ገሊኦም'ውን ዝመጽእ ተግባራትን ኩነታትን ሃለዋትን ይገልጹ።

ነዞም ግስታት እዚኣቶም ክንምልከት ከሎና ክልተ ትሕዝቶታት ነስተብህል: ናይ ገሊኦም ተግባር ተሳጋሪ ኪኸውን ከሎ: ናይ ካልኦት ግን ከይተሳገረ ይተርፍ።

ስለዚ ተሳጋሪ ግሲ: ዘይሳገር ግሲ ኢልና ኣብ ክልተ ንኸፍሎም።

1. ተሳጋሪ ግሲ እቲ ተግባር ኣብቲ በዓልቤት (ገጽ 49 ረአ) ኪተርፍ ከሎ ኢዩ። ንኣብ፦ ሃይለ ኣንበሳ ቀቲሉ።

ሰሎሞን ብልጫ ወሲዱ።

ኣብዘን ክልተ ምሉእ ሓሳባት'ዚኣተን እቲ ምቕታልን: ምውሳድን: ካብ ሃይለን ሰሎሞንን ናብ ኣንበሳን: ብልጫን ኪሓልፍ ወይ ክኣ ኪሳገር ይረአ ኣሎ።

2. ዘይሳገር ግሲ ግን እቲ ተግባሩ ናብ ካልእ ከይሓለፈ: ኣብቲ በዓልቤት ዚተርፍ ኢዩ።

ንኣብ፦ ሃይለ ደቂሱ

ግርማይ ንዓዱ ከይዱ

ሰሎሞን ሰኺሩ

ግርማይ ንዓዱ ከይዱ ክንብል ከሎና ግን እቲ ናይ ግርማይ ምኻድ ናብቲ ዓዲ ዚብል ቃል ሓሊፉ ማለት ኣይኮነን።

ግሲ

ኣሉታ

ብቛንቋ ትግርኛ ንሓደ ግሲ ናብ ኣሉታ ንምልዋጥ "ኣይ" ኣብ ቅድሚ ግሲ "ን" ከኣ ኣብ ድሕሪ ግሲ ነቐምጥ። ኣብ ትግርኛ ኣሉታዊ ሓሳብ ንምግላጽ ኩሉ ጊዜ እቲ ግሲ ብ "ኣይ"ን ብ"ን"ን ተማእኪሉ ይርከብ። ስለዚ ኣሉታ= ኣይ+ግሲ+ን

ንኣብ፥ ገበረ= ኣይገበረን

ሰረቐ= ኣይሰረቐን

እቲ ግሲ ብ"ይ" ምስ ዚጅምር ግን ኣብ ክንዲ "ኣይ" "ኣ" ጥራይ ኣኻሊ ኢዩ

ንኣብ፥ ይበልዕ= ኣይ+ይበልዕን=ኣይበልዕን*

ይሰቲ (ይሰትይ)= ኣይ+ይሰትን=ኣይሰትን

መጠንቐቒ:

ኣሉታ: ሕሉፍ ጊዜ ከመልክት ከሎ ታሪኻዊ ሕሉፍ (ቅዱም) ደኣምበር ኣጉል ሕሉፍ (ሕሉፍ) ኣየዘውትርን።

ንኣብ፥ በሊዑ ኢልና ኣይበሊዑን ኣይንብልን።

ስለዚ በሊዑ = በልዐ = (ቅዱም)=ኣይበልዐን

ቀቲሉ = ቀተለ = (ቅዱም)= ኣይቀተለን

ስሕተት ኢሉ'ውን "ነይ" ዚብል ቃል ኣብ ቅድሚ ግስ ብምእታው ኣሉታዊ ቃል ይቐውም ኢዩ።

ንኣብ:- ነበረ= ነይነበረ

ከደ= ነይከደ

ሓደሓደ ኣሉታ ግን ሕጊ ኣይክተልን።

ንኣብ፥ ኣሎ= የሎን ወይ ከኣ የልቦን

ተወሳኺ

እቲ "ኣይ...ን" "ነይ..." ዚብል ናይ ኣሉታ መሳርሒ ጭራም

---

*ኣብ ናይ ትግራይ ትግርኛ እቲ ይ ድርብ ብምዃኑ የትርርዎ ኢዮም (ንሱ ኣይይበልዕን)

ግሲ

ቃላት ንስምን፡ ንቕጽልን እውን ናይ ኣሉታዊ ባህርይ የትሕዞም ኢዩ።

<u>ንኣብ፥</u> ሰደቓ= ኣይሰደቓን= ነይሰደቓ (ሰደቓ ኣይኮነን ማለት ኢዩ)
ወኻርያ= ኣይወኻርያን= ነይወኻርያ (ወኻርያ ኣይኮነትን ማለት ኢዩ)
ጸራባይ= ኣይጸራባይን= ነይጸራባይ (ጸራባይ ኣይኮነን ማለት ኢዩ)

<u>ኣስተውዕል</u>፥ ምስ ናይ ትእዛዝ ግሲ ግን "ን" ኣየድልን
ኪድ= ኣይትኺድ
ብላዕ= ኣይትብላዕ

<u>ተወሳኺ ኣሉታ</u>

ሽሕ'ኳ እቲ መደባዊ ኣሰራርዓ "ኣይ+ግሲ+ን" እንተ ኾነ ሓድሓደ ጊዜ ግን እቲ "ን"፡ "ነ" ኮይኑ ኣብ ቅድሚት ይመጽእ ኢዩ፡ ን "ኣ" ከኣ የልግሶ። ወይ ከኣ "ዘይ" እናወሰኸ ኣሉታ ይገልጽ።

<u>ንኣብ፥</u> ኣነ= ኣይኣነን፡ ነይኣነ፡ ዘይኣነ
ንስኻ= ኣይንስኻን፡ ነይንስኻ፡ ዘይንስኻ
ንሱ= ኣይንሱን፡ ነይንሱ፡ ዘይንሱ
ኮነ= ኣይኮነን፡ ነይኮነ፡ ዘይኮነ

<u>መረድኢ</u>

ንስኻዶ ኢኻ ዝወሰድካዮ፧
-ነይኮንኩ፡ ካልእ ደኣ ሕሰብ።
ንሱዶ ኢዩ ዝቐተላ፧ -ነይኮነ፡ ነገር ደኣ ደሊኻዮ።-ነይንሱ፡ ካልእ ደኣ ድለ።
ሽኮር ኣሎዶ፧ ዘየሎ።

ናይ ምህላው ግሲ ኣሉታ

ኣነ ኣይኮንኩን	ንስኻ ኣይኮንካን
ንስኺ ኣይኮንክን	ንስኹም ኣይኮንኩምን
ንስኻትኩም ኣይኮንኩምን	ንስኽን ኣይኮንክንን
ንስኻትክን ኣይኮንክንን	ንሕና ኣይኮንናን
ንሱ ኣይኮነን	ንሳ ኣይኮነትን
ንሰን ኣይኮናን	ንሳቶም ኣይኮኑን
ንሳተን ኣይኮናን	ንሶም ኣይኮኑን

ናይ ዋንነት ግሲ ኣሉታ

ኣነ የብለይን	ንስኻ የብልካን
ንስኺ የብልክን	ንስኹም የብልኩምን
ንስኻትኩም የብልኩምን	ንስኽን የብልክንን
ንስኻትክን የብልክንን	ንሕና የብልናን
ንሱ የብሉን	ንሶም የብሎምን
ንሳ የብላን	ንሰን የብለንን
ንሳቶም የብሎምን	ንሳተን የብለንን

ናይ ምህላውን ዋንነትን ግስታት

I. ናይ ምህላው ግሲ

	ነጸላ	ብዝሒ
1ይ ኣካል	ኣነ እየ	ንሕና ኢና
2ይ ኣካል	ንስኻ ኢኻ	ንስኻትኩም ኢኹም
ኣንስታይ	ንስኺ ኢኺ	ንስኻትክን ኢኽን
ኣኽብሮት ኣንስታይ	ንስኽን ኢኽን	ንስኻትክን ኢኽን
ኣኽብሮት ተባዕታይ	ንስኹም ኢኹም	ንስኻትኩም ኢኹም

ግሲ

3ይ ኣካል	ንሱ ኢዩ	
ኣንስታይ	ንሳ ኢያ	
ኣኽብሮትኣንስታይ	ንሰን ኢየን	ንሳቶም ኢዮም
ኣኽብሮትተባዕታይ	ንሶም ኢዮም	ንሳተን ኢየን

መዘኻኸሪ

ኣብዚ ረባሕታ'ዚ ብዘይካ ኣብ ቀዳማይ ኣካል ንጽል (እየ) ኩሉ ብ"ኢ" ከም ዚጅመር ተገይሩ ኣሎ። ምኽንያቱ ከኣ እቲ "እ" ኣብ "ኢኹም" "ኢና" "ኢኻ" "ኢኽን" ስለ ዘይዝውተር "ኢ" ግና ግኑን ብምዃኑ: "ኢ" ከም ሓባር ረቛሒ ኰይኑ ተወሲዱ ኣሎ።

II. ናይ ዋንነት ግሲ

		ነጸላ	ብዝሒ
1ይ	ኣካል	ኣነ ኣሎ(ን)ኒ	ንሕና ኣሎ(ን)ና
2ይ	ኣካል	ንስኻ ኣሎካ	ንስኻትኩም ኣሎኩም
	ኣን.	ንስኺ ኣሎኪ	ንስኻትክን ኣሎክን
	ኣኽ. ኣን.	ንስኽን ኣሎክን	
	ኣኽ. ተባ.	ንስኹም ኣሎኩም	
3ይ	ኣካል	ንሱ ኣለዎ	
	ኣን.	ንሳ ኣለዋ	
	ኣኽ. ኣን.	ንሰን ኣለወን* ንሳተን ኣለወን	
	ኣኽ. ተባ.	ንሶምኣለዎም: ንሳቶም ኣለዎም	

ከም ምዱብ ግስን ከም ሓጋዚ ግስን ኰይኖም ዚሰርሑ: ክልተ ዓይነት ግስታት'ውን ኣለዉና: ንሳቶም ከኣ

i. **ከወነ**

ኣነ እኸውን	ንሕና ንኸውን
ንስኻ ትኸውን	ንስኻትኩም ትኾኑ
ንስኺ ትኾኒ	ንስኻትክን ትኾና

---

*"ሎ" ኪብል ጸኒሑ ኣብ ቅድሚ "ወ" ናብ "ለ" ዚልወጠሉ ዘሎ ምኽንያት "ወ" ድምጺ "ኦ" ስለ ዘለዎ ኢዩ። (ክልተ ናይ ሳብእ ድምጺ ከይደጋገም)

ግሲ

ንስኽን ትኾና	ንሳቶም ይኾኑ
ንስኹም ትኾኑ	ንሳተን ይኾና
ንሱ ይኸውን	ንስኻትኩም ትኾኑ
ንሳ ትኸውን	ንስኻትኩን ትኾና

ii. <u>**ሃለወ**</u>

ኣነ (እህሉ) ኣሎኹ	ንሕና (ንህሉ) ኣሎና
ንስኻ (ትህሉ) ኣሎኻ	ንስኻትኩም(ትህልዉ)ኣሎኹም
ንስኺ (ትህልዊ) ኣሎኺ	ንስኻትክን (ትህልዋ) ኣሎኽን
ንስኽን (ትህልዋ) ኣሎኽን	ንሳተን (ይህልዋ) ኣለዋ
ንስኹም (ትህልዉ) ኣሎኹም	ንሳቶም (ይህልዉ) ኣለዉ
ንሱ (ይህሉ) ኣሎ	
ንሶም (ይህልዉ) ኣለዉ	
ንሳ (ትህሉ) ኣላ	
ንሰን (ይህልዋ) ኣለዋ	

ኣብዚ ክንግንዘቦ ዘሎና ግን: ምንም'ኳ ኣሉታዊ ሓሳባት ንምግላጽ በቲ ኣብ ላዕሊ ተጠቒሱ ዘሎ ኣገባብ ማለት 'ኣይ...ን' (ኣይ+ግሲ+ን) ንጥቀም እንተ ኾንና: ኣብ ናይ ምህላውን ናይ ዋንነትን ግሲ ግና ካብቲ ሕጊ ክነልግስ ንግደድ፥

<u>ኣሉታ፥</u> ኣነ እየ= ኣነ ኣይኮንኩን (<u>ኣነ ኣይእየን</u> ኣይበሃልን)

ኣነ ኣሎኒ= ኣነ የብለይን (ኣነ <u>ኣይኣሎኒን</u> ኣይበሃልን)

<u>ግዜ</u>

እምበኣር ናብ ካልእ ኩነታት ግሲ ቅድሚ ምሕላፍና: ግሲ እዋናት ከመልክት ከሎ ዘርእዮ ምልውዋጥን ባህርያትን ንርአ።

ኣብ ግሲ ሸሞንተ ናይ እዋናት ወይ ግዝያት ምልውዋጥ ንርኢ፥

ግሲ

- I. ህሉው ግዜ
- II. ህሉው ቀጻሊ
- III. ትንቢት ግዜ
- IV. ኣጉል ወይ ሕሉፍ ግዜ
- V. ሕሉፍ ቀጻሊ
- VI. ሕሉፍ ቀረባ
- VII. ቅድመ ሕሉፍ
- VIII. ቅዱም

I. ህሉው ግዜ ነቲ ኩሉ ግዜ ብተደጋጋሚ ወይ ብቐጻሊ ዚፍጸም ተግባር ወይ ከኣ ኵነታት የመልክት። ንኣብ፥ ኣነ እበልዕ። ጸሓይ ትበርቕ።

ኣሉታ፥ ኣነ ኣይበልዕን። ሕቶ፥ ኣነ እበልዕዶ፧

'በልዐ' እትብል ቃል ኣርቢሕና ንመልከት

ኣነ እበልዕ	ንሕና ንበልዕ
ንስኻ ትበልዕ	ንስኻትኩም (ንስኹም) ትበልዑ
ንስኺ ትበልዒ	ንስኻትክን (ንስኽን) ትበልዓ
ንሱ ይበልዕ	ንሳቶም (ንሶም) ይበልዑ
ንሳ ትበልዕ	ንሳተን (ንሰን) ይበልዓ
ንስኹም ትበልዑ	
ንስኽን ትበልዓ	

ኣብዚ እንታይ ንርዳእ፡-

ግሲ

፡ ኣብ ቀዳማይ ኣካል ነጸላ መበገሲ ፊደል 'እ' ኢዩ

2ይ፡ ኣብ ቀዳማይ ኣካል ብዙሕ መበገሲ ፊደል 'ን' ኢዩ

3ይ፡ ኣብ ካልኣይ ኣካል ነጸላን ብዙሕን መበገሲ ፊደል 'ት' ኢዩ

4ይ፡ ኣብ ሳልሳይ ኣካል ነጸላን ብዙሕን መበገሲ ፊደል 'ይ' ኢዩ

5ይ፡ ኣብ ሳልሳይ ኣካል ነጸላ ኣንስታይ ጾታ መበገሲ ፊደል 'ት' ኢዩ

6ይ፡ እተን ኣብታ ሱር ግሲ ዝኾነት ቃል 'በልዐ' ዘለዋ ክልተ ቀዳሞት ፊደላት ፈጺመን ኣይልወጣን ኢየን ('በል')። እታ መጨረሻ ፊደል ግን ምስ ካልኣይን ሳልሳይን ኣካል ብዙሕ: ተባዕታይ: 'ዑ' ትኸውን: ምስ ካልኣይን ሳልሳይን ኣካል ብዙሕ ኣንስታይ ከኣ 'ዓ' ትኸውን። እንተዘየሎ 'ዕ' ኮይና ትተርፍ።

ስለዚ ኣብ 2ይን 3ይን ኣካል ብዙሕ ተባዕታይ እቲ መጠረስታ ፊደል ናብ ካዕብ ይልወጥ ኣሎ: ኣብ 2ይን 3ይን ኣካል ብዙሕ ኣንስታይ ከኣ ናብ ራብዕ ይልወጥ ኣሎ: ብዝተረፈ ግን ሳድስ ወይ ከኣ ሳልስ ኮይኑ ይተርፍ ኣሎ ማለት ኢዩ።

ግሲ

እዚ ሕጊ'ዚ ግን 1.6.1 ኮይኖም ብእተሰርዑ ሰለስተ (ስሉስ) ፊደል ንዘለዎም ግስታት ዚውስን ጥራይ ኢዩ።

ንመረዳእታ: ካልኦት ግስታት ፈላሊና ንተንትን፥

<u>ትንተና ረባሕታ ህሉው ግዜ</u>

ሀ. <u>1.1.1. (ቀ ተ ለ)</u>

1. መበገሲ ፊደላት: ከምቲ ኣብ ላዕሊ እተዋህበ ሕጊ
2. ማእከሎት ፊደላት 'ቅት' (6.6)
3. መጠረስታ ፊደላት: ከምቲ ኣብ ላዕሊ እተዋህበ ሕጊ

ለ. <u>1.1.1 (ሃ ደ መ)</u>

1. መበገሲ ፊደላት ከምቲ ኣብ ላዕሊ እተዋህበ
2. ማእከሎት ፊደላት "ሃድ" (4.6)
3. መጠረስታ ፊደላት: ከምቲ ኣብ ላዕሊ እተዋህበ

(ሐ) <u>1.1.1 (ደ ቀ ሰ)</u> ማእከላይ ፊደል ኪጠብቕ ከሎ

1. ከም 'ሀ'
2. ማእከሎት ፊደላት "ድቅ" (6.6)
3. ከም 'ሀ'

(መ) <u>ተ+4.1.1 (ተ ዛ ረ በ)</u>

እዚ ዓይነት ግስ'ዚ ሽሕ'ኳ ኣርባዕተ ፊደላት ዝሓዘ እንተ ኾነ በታ 'ተ' እትብል ፊደል ከይተገደስና ነተን ሰለስተ ጥራይ ንመልከት

1. ከም 'ሀ'
2. ማእከሎት ፊደላት "ዛረ" (4.1)
3. ከም 'ሀ'

ሕጂ ናብቶም ሱር ግስታቶም ብኣርባዕተ (ርቡዕ) ፊደላት ዝቔሙ ግሳት ንሕለፍ

<u>ሀ. (1.6.1.1) (መ ር መ ረ)</u>

1. ከምቲ ኣብ ላዕሊ ዘሎ መደባዊ ሕጊ
2. ማእከሎት ሰለስተ ፊደላት "ምርም" (6.6.6.)

<u>**ኣስተውዕል፥**</u> ዳርጋ ኩላቶም ሱር ግስታቶም ብኣርባዕተ

ግሲ

ፊደላት ዝቑመ ቃላት ዘ'ኽተልዎ ሕጊ ከምቲ ኣብ ላዕሊ ተጠቒሱ ዘሎ እዩ።

ነዞም ዝጸብጸብናዮም ግስታት ናብ ኣሉታ ንምልዋጥ ነቶም መጠረስታ ፊደላት ብቅድሚኦም "ኣይ" ብድሕሪኦም ከኣ "ን" ምእታው ኣኻሊ እዩ።

<u>ንኣብ</u>፥ ቀተለ= እቐትል = <u>ኣይ</u>ቀትል<u>ን</u>

ባረኸ= እባርኽ = <u>ኣይ</u>ባርኽ<u>ን</u>

ሰምዐ= እሰምዕ = <u>ኣይ</u>ሰምዕ<u>ን</u>

II. <u>**ህሉው ቀጻሊ**</u> ዝብሃል ህሉው ወይ ከኣ ናይ እዋናዊ ጊዜ ዘመልክት ኮይኑ: ጌና ንዚቕጽል ዘሎ ተግባር ወይ ከኣ ኩነታት ዚገልጽ እዩ። ንሱ ንዘይተወድአ ጌና ዚቕጽል ዘሎ ተግባራት ወይ ኵነታት ንምግላጽ የገልግል። ህሉው ቀጻሊ ንምቝም ነቲ ናይ ህሉው ግሲ ናይ ሃለወ ረባሕታ ንውስኽሉ።

<u>ንኣብ</u>፥ ኣነ እበልዕ <u>ኣሎኹ</u>: ንስኻ ትበልዕ <u>ኣሎኻ</u>: ንስኺ ትበልዒ <u>ኣሎኺ</u> ወዘተ...

<u>ኣሉታ</u>፥ ኣነ ኣይበልዕን <u>ኣሎኹ</u>። (ሓድሓደ ጊዜ'ውን ኣነ እበልዕ <u>ኣየለኹን</u> ኪበሃል ይስማዕ እዩ።)

<u>ሕቶ</u>፥ ኣነ እበልዕዶ <u>ኣሎኹ</u>፧ ወይ ከኣ ኣነ እበልዕ <u>ኣሎኹዶ</u>፧

III. <u>**ናይ ትንቢት ጊዜ**</u> ንዚመጽእ ጊዜ ዘመልክት ግሲ እዩ።

<u>ንኣብ</u>፥ ኣነ ክበልዕ እየ: ጸሓይ ክትበርቕ ኢያ

<u>ኣሉታ</u>፥ ኣነ ኣይክበልዕን እየ

<u>ሕቶ</u>፥ ኣነ ክበልዕ ድ'የ፧

ናይ ትንቢት ጊዜ ንምቝም ነቲ ናይ ህሉው ጊዜ ግሲ ኣብ ቅድሚኡ "ክ" ዚብል ፊደል ነቐምጠሉ: ኣብ ድሕሪኡ ኸኣ ናይ "እዩ" ረባሕታ ነንብረሉ።

<u>ንኣብ፥</u> ንሱ ይኸይድ= (ንሱ <u>ኪ</u>ይኸይድ እዩ)= ንሱ ኪኸይድ እዩ።

ግሲ

ንሕና ንኸይድ= (ንሕና ክንኸይድ ኢና)= ንሕና ክንከይድ ኢና።

> **ተወሳኺ፥**
>
> ኣብ ቋንቋ ትግርኛ ምቍራጽ ድምጽታት ልሙድ ስለ ዝኾነ ነቲ ናይ ምህላው ግስ ክንጉልድሞ ንግደድ።
>
> **ንኣብ:-** ንሳቶም ኪኸዱ ኢዮም=ንሳቶም ኪኸዱ'ዮም።
>
> ኣነ ክበልዕ እየ= ኣነ ክበልዕ'የ።

IV. **ኣጕል ሕሉፍ** ዚብሃል ናይ ዝሓለፈ ዘበለ ኩሉ ተግባራትን ዥነታትን እንገልጸሉ ግሲ ኢዩ።

ንኣብ፥ ኣነ በሊዐ

ኣሉታ፥ ኣነ ኣይበላዕኩን

ሕቶ፥ ኣነ በሊዐዶ፧

ነዚ ግሲ'ዚ ንምቛም ሕጊ እተኸተለ ኣገባብ ኣሎና።

ይኹን'ምበር: ኣጕል ሕሉፍ (ወይ ከኣ ሕሉፍ)

መብዛሕትኡ ግዜ ኣብ ዘረባ ዚዝውተር ሕሉፍ ኢዩ።

ዘረባ	**ጽሑፍ**
ብ1920 ካብ ዓዱ ወጺኡ (ኣጕል ሕሉፍ)	ብ1920 ካብ ዓዱ ወጸ (ቅዱም)

ናይ በልዐ (ሕሉፍ) ረባሕታ

ኣነ በሊዐ	ንሕና በሊዕና
ንስኻ በሊዕካ	ንስኻትኩም (ንስኹም) በሊዕኩም
ንስኺ በሊዕኪ	ንስኻትክን (ንስኽን) በሊዕክን
ንሱ በሊዑ	ንሳቶም (ንሶም) በሊዖም
ንሳ በሊዓ	ንሳተን (ንሰን) በሊዐን ይኸውን

ንኣብ፥ ንሳ ሰሙን ይገብር ሓሪሳ። ንሱ ዓሚ ከይዱ። ንሳተን ትማሊ ተመሪቐን።

ግሲ

<u>ናይ ነበረ (ሕሉፍ) ረባሕታ</u>

ኣነ (ነቢረ) ነይረ	ንሕና (ነቢርና) ኔርና
ንስኻ (ነቢርካ) ኔርካ	ንስኻትኩም (ነቢርኩም) ኔርኩም
ንስኺ (ነቢርኪ) ኔርኪ	ንስኻትክን (ነቢርክን) ኔርክን
ንሱ (ነቢሩ) ነይሩ	ንሳቶም (ነቢሮም) ነይሮም
ንሳ (ነቢራ) ነይራ	ንሳተን (ነቢረን) ነይረን

<u>ናይ ሃለወ (ሕሉፍ) ረባሕታ</u>

ኣነ (ነቢሩኒ) ነይሩኒ:	ንሕና (ነቢሩና) ነይሩና:
ንስኻ (ነቢሩካ) ነይሩካ:	ንስኻትኩም/ንስኹም (ነቢሩኩም) ነይሩኩም:
ንስኺ (ነቢሩኪ) ነይሩኪ:	ንስኻትክን/ንስኽን (ነቢሩክን) ነይሩክን:
ንሱ (ነቢሩዎ) ነይሩዎ:	ንሶም (ነቢሩዎም) ነይሩዎም:

ንሳ (ነቢሩዋ) ነይሩዋ:

ንሰን (ነቢሩወን) ነይሩወን:

ንሳቶም (ነቢሩዎም) ነይሩዎም:ንሳተን (ነቢሩወን) ነይሩወን

<u>ናይ ከወነ (ሕሉፍ) ረባሕታ</u>

ኣነ (ከዊነ) ኮይነ	ንሕና(ከዊንና) ኴንና
ንስኻ (ከዊንካ) ኴንካ	ንስኻትኩም (ከዊንኩም) ኴንኩም
ንስኺ (ከዊንኪ) ኴንኪ	ንስኻትክን (ከዊንክን) ኴንክን
ንሱ (ከዊኑ) ኮይኑ	ንሳቶም (ከዊኖም) ኮይኖም
ንሳ (ከዊና) ኮይና	ንሳተን (ከዊነን) ኮይነን

ንሶም (ከዊኖም) ኮይኖም

ንሰን (ከዊነን) ኮይነን

V. <u>ሕሉፍ ቀጻሊ</u> ነቲ ኣብ ዝሓለፈ ግዝያት ዚደጋገም ወይ ከኣ ዚቕጽል ዝነበረ ተግባራትን ኵነታትን ዘመልክት ግሲ ኢዩ።

<u>ንኣብ</u>፥ ኣነ እበልዕ ነይረ

<u>ኣሉታ</u>፥ ኣነ ኣይበልዕን ነይረ

ግሲ

<u>ሕቶ</u>፥ ኣነ እበልዕዶ ነይረ፧

እዚ ግሲ'ዚ ብህሉው ግስን ቅዱምን (ነበረ) ዝቖመ ኢዩ።

<u>ናይ ቀተለ (ሕሉፍ ቀጻሊ) ረባሕታ:-</u>

ኣነ እቐትል ነበርኩ: ንሕና ንቐትል ነበርና:

ንስኻ ትቐትል ነበርካ:	(ንስኹም) ንስኻትኩም ትቐትሉ ነበርኩም:
ንስኺ ትቐትሊ ነበርኪ:	(ንስኽን) ንስኻትክን ትቐትላ ነበርክን:
ንሱ ይቐትል ነበረ:	(ንሶም) ንሳቶም ይቐትሉ ነበሩ:
ንሳ ትቐትል ነበረት:	(ንሰን) ንሳተን ይቐትላ ነበራ:

<u>ኣስተውዕል፥</u> እዚ ዓይነት ኣበሃህላ ግን ኣብ ጽሑፍ እንተ ዘይኮይኑ ኣብ ዘረባ ብዙሕ ኣይዝውተርን ኢዩ። እቲ ልሙድ ዝኾነ ኣበሃህላ ግን፥

ሕሉፍ ቀጻሊ= ህሉው ግሲ + ሕሉፍ ምህላው

<u>ንኣብ፥</u> ኣነ እቐትል ነይረ፥ ንስኻ ትቐትል ኔርካ ወዘተ... ኢዩ።

VI. <u>ሕሉፍ ቀረባ፥</u> ወይ ከኣ ናይ ቀረባ ሕሉፍ: ንነዊሕ ዘይገበረ ተግባራትን ኩነታትን የመልክተልና።

<u>ንኣብ፥</u> ሰሎሙን በሊዑ ኢዩ

<u>ኣሉታ፥</u> ሰሎሙን ኣይበልዐን

<u>ሕቶ፥</u> ሰሎሙን በሊዑ ዲዩ፧

ሕሉፍ ቀረባ ንምቛም

ሕሉፍ ቀረባ= ሕሉፍ ግሲ+ ምህላው ግሲ

<u>ንኣብ፥</u> "በልዐ" ዚብል ግሲ

<u>ሕሉፍ</u>= ኣነ በሊዐ

<u>ሕሉፍ ቀረባ</u>= ኣነ በሊዐ እየ ወይ ከኣ ኣነ በሊዐ ኣሎኹ።

ከምኡ'ውን ናይ ትንቢት ግሲ ምስ "ጸንሐ" ዚብል ግስ እናሓወስና ንሰርሕ ኢና።

<u>ንኣብ፥</u> ንስኻ ክትበልዕ ጸኒሕካ

ንስኺ ክትበልዒ ጸኒሕኪ ወዘተ...

ግሲ

> <u>መጠንቀቒ:</u> ምስ ዝሓለፈ ተግባራት ኮይኑ ከም ህሉው ነገር ኮይኑ ንዚዝክረካ ተግባር እውን እዚ ግስ እዚ ይዝውተር ኢዩ።
> <u>ንኣብ፥</u> ትማሊ እቲ ገዛ ኪነድድ ከሎ: ኣነ <u>ደቂሰ ኣሎኹ</u>። ዓሚ ንስኻ ክትምርያ ከሎኻ:
> ንሱ ሓሚሙ ኣብ ሆስፒታል <u>ተዓቝቡ ኣሎ</u>።

VII. <u>ቅድመ ሕሉፍ፥</u> ሕሉፍን "ነበርኩ ወይ ኔርካ" ዚብል ሓጋዚ ግስን እናዛመደ ቅድሚ እቲ ሕሉፍ ኢልና እንጽውዖ ወይ እንዝክሮ እተፈጸመ ተግባራትን ኩነታትን የመልክተልና።

<u>ንኣብ፥</u> ኣነ ትማሊ መጺአ: ንሱ ግን ቅድመይ <u>መጺኡ ነይሩ</u>

- ንስኻ ቅድሚ ምጽሓፍካ: ኣነ <u>ጽሒፈልካ ነይረ</u>
- ቅድሚ እቲ ሓደጋ ማኪና: ኣብዚሖ <u>ሰትዩ ነይሩ</u>
- <u>ከይዱ ነይሩ</u>'ስ መጺኡ

ሓድሓደ ጊዜ እዚ ግሲ እዚ ኣብ ቀረባ እዋን ንእተፈጸመ ተግባር'ውን የመልክተልና።

ንሱ <u>ወጺኡ ነይሩ</u>: ሕጂ ግን ይመጽእ ኣሎ

እንተኾነ ግን 'ነይሩ' እትብል ቃል ኣብዚ ም.ሓሳባት እዚ ከም 'ጸኒሑ' ኢያ ኣትያ ዘላ።

ንሱ <u>ወጺኡ (ነይሩ) ጸኒሑ</u>፡ ሕጂ ግን ይመጽእ ኣሎ።

> <u>ተወሳኺ፥</u> ተራ ምህላው ግሲ (እየ፡ ኢዩ... ነይሩ) ኣብ ሕሉፍ ግዜ ብዕቱብነት ኪረአ ዘለዎ ጉዳይ ኢዩ።
> ሀ. "ንሱ በሊዑ" ክንብል ከሎና ሕሉፍ ጊዜ ጥራይ ኢዩ ዘመልክት:
> ለ. "ንሱ በሊዑ ኢዩ" "ንሱ በሊዑ ነይሩ" ክንብል...

ግሲ

> ... ከሎና ግን እቲ ተግባር ሕሉፍ ጥራይ ዘይኮነስ ውዱእን ፍጹምን ከም ዝኾነ ብተወሳኺ ይገል ጸልና። ስለዚ: ንሓደ ሕሉፍ ተግባር ፍጹምነቱ ንምግላጽ እንተ ዘይተደልየ: "ኢዩ" ወይ "ነይሩ"
>
> ምዝውታር ኣየድልን። ከምኡ'ውን ምስ ዝኾነ ይኹን ኣሉታዊ ግሲ "ኢዩ" ወይ "ነይሩ" ዚብላ ናይ "ከወነ" ን"ነበረ"ን ረባሕታ ኣየድልያን።
>
> <u>ንኣብ፦</u>
>
> | <u>እሩም</u> | <u>ግጉይ</u> |
> |---|---|
> | ሰሎሙን በሊዑ | ሰሎሙን በሊዑ ኢዩ። |
> | ሰሎሙን ኣይበልዐን | ሰሎሙን ኣይበልዐን ኢዩ። |

VIII. <u>ቅዱም</u> እቲ ዚበዝሕ ጊዜ ኣብ መጻሕፍቲ ዚዝውተር ግሲ ኢዩ። እዚ ግሲ'ዚ ብዘይካ'ቲ ሕሉፍ ግዜ ንምምልካት ዚህቦ ጥቕሚ: ኣብ ብዙሕ ንግዜ ዘይምልከት ተግባራትን: ዅነታትን: ኣብ ብዙሕ ምሉእ ሓሳባትን ብበበይኑ ዓይነት መገዲ እናኣተወ: እተፈላለየ ስራሕ ይሰርሕ ኢዩ።

(ሀ) ከም ሕሉፍ ግዜ ኮይኑ ከገልግል ከሎ ዘርኢ ረባሕታ (ዝበዝሕ ጊዜ ኣብ ጽሕፍ ኢዩ ዚዝውተር) ኣቀዋውማኡ ከምዚ ዚስዕብ ኢዩ፦

<u>ሱር ግሲ</u>	<u>ምንጪ</u>	<u>ቅዱም</u>
1.6.1. በልዐ	1.4.6. በላዕ	ኣነ፦ በላዕ<u>ኩ</u>
1.1.1. ቀተለ	1.1.6 ቀተል	ቀተል<u>ኩ</u>
4.1.1. ባረኸ	4.1.6 ባረኽ	ባረኽ<u>ኩ</u>
ተ+4.1.1. ተዛረበ	ተ+4.1.6 ተዛረብ	ተዛረብ<u>ኩ</u>
1.6.1.1. መርመረ	1.6.1.6. መርመር	መርመር<u>ኩ</u>

ናይ ኩሉ ኣካል ረባሕታ እንተደኣ ተደልዩ ግን ነቲ ኣብ ትሕቲ ምንጪ ዘሎ ግሲ፦ ኩ: ካ: ኪ: ኣ: እት: ና: ኩም: ክን: ኡ:

ግሲ

ኣ: ንውስኽሉ። እምበኣር፥

<u>ናይ ቀተለ ቅዱም ረባሕታ</u>

ኣነ ቀተል<u>ኩ</u>: ንሕና ቀተል<u>ና</u>

ንስኻ ቀተል<u>ካ</u>: (ንስኹም) ንስኻትኩም ቀተል<u>ኩም</u>

ንስኺ ቀተል<u>ኪ</u>: (ንስኽን) ንስኻትክን ቀተል<u>ክን</u>

ንሱ (ቀተል<u>አ</u>) ቀተለ: (ንሶም) ንሳቶም (ቀተል<u>ኡ</u>) ቀተሉ

ንሳ (ቀተል<u>አት</u>) ቀተለት: (ንሰን) ንሳተን (ቀተል<u>ኣ</u>) ቀተላ

<u>ናይ ሃደመ ረባሕታ</u>

ኣነ ሃደምኩ፡ ንሕና ሃደምና

ንስኻ ሃደምካ፡ (ንስኹም) ሃደምኩም

ንስኺ ሃደምኪ፡ (ንስኽን) ንስኻትክን ሃደምክን

ንሱ ሃደመ፡ (ንሶም) ንሳቶም ሃደሙ

ንሳ ሃደመት፡ (ንሰን) ንሳተን ሃደማ

<u>ተወሳኺ</u>፥ ድሕሪ <u>ምስ፡</u> <u>ከይ፡</u> <u>ዘይ፡</u> <u>ኣይ፡</u> <u>እና</u> ዚብላ ደቐቕቲ ቃላት ቅዱም ምዝውታር ግድን ኢዩ።

<u>ንኣብ፥</u> ንሳ ምስ <u>በልዐት</u> ንስራሕ ከይዳ
ምስ <u>መሰየ</u> ኪመጽእ ኢዩ
ሽዑ ምስ <u>ሓመምኩ</u> ኣይሓወኹን
ጽባሕ ምስ <u>ከድካ</u> ንገራ
ኣብኡ ምስ <u>በጻሕኩም</u> ብልዑዎ
--ኣብዚ ኣገባብ'ዚ እቲ ግሲ ውሱን ግዜ ኣየመልክትን።

<u>ንኣብ</u>፥ ምስ <u>በልዐ</u> ሓሚሙ (ሕሉፍ)
ምስ <u>በልዐ</u> ኪድቅስ ኢዩ (ትንቢት)
ምስ <u>በልዐ</u> ድቃስ ይወስዶ (ህሉው)
ምስ "ዘይ" "ከይ" እናተጸንበረ
ናይ ኣሉታዊ ሓሳባት ኪገልጽ ከሎ...

... ንሳ ከይበልዐት ንስራሕ ከይዳ። መን'ያ ዘይበልዐት፣ ንሱ ከይመሰየ ክመጽእ ኢዩ። ዘይመሰየ እኳ! ንሱ ከይሓመመ ሞይቱ። እቲ ዘይሓመመ ሰብ ይውጻእ! ንዓዲ ከይከድካ ተዛረቦ። ከይከድካ ከይደ ኣይትበል! ኣብኡ ከይበጻሕኩም ብልዑዎ። ስለምንታይ ዘይበጻሕኩምኒ ፤... ምስ "ኣይ...ን" እናኣተወ እውን ሕሉፍ ኣሉታዊ ሓሳባት ይገልጽ።

ንኣብ፥ ንሳ ኣይበልዐትን
ምድሪ ኣይመሰየን
ንሱ ኣይሓመመን
ንስኻ ኣይከድካን
ኣብኡ ኣይበጻሕኩምን
--ምስ "እና" (ቀጻሊ ኵነታት)
ኮይኑ ኪዝውተር ከሎ፥
ንሳ እናበልዐት ንስራሕ ከይዳ
መሬት እናመሰየ ከይዱ
ንሱ እናሓመመ ኣይጠዓየን
--ምስ "እና" (ተደጋጋሚ)፥
እናኸድካ ሞኽ ኣብሎ
እናበጻሕኩም ኣጸናንዑዎ
--ምስ "እና... ከሎ" (ሓደ ተግባር እናተፈጸመ ካልእ ኪውሰኽ ከሎ)፥
ንሳ እናበልዐት ከላ ተሰርኒቓ
ንሱ እናኸደ ከሎ ወዲቑ
ኣነ እናጸሓፍኩ ከሎኹ ዓዊለ
ንሳቶም እናሃደሙ ከለዉ ተቐቲሎም

ግሲ

ትእዛዝ

ናይ ትእዛዝ ግሲ ትእዛዝ ንምሃብ የገልግል። ንኣብ፥ ብላዕ! እቶ! ኣሉታ፥ ኣይትብላዕ! ኣይትእቶ!

ናይ ትኣዛዝ ግሲ ፍሉይ ዝኾነ ጠባይ ኣለዎ። ነዚ ግስ'ዚ ንምርባሕ መጀመሪያ ነቲ መበገሲ ግሲ ምርካብ ይግባእ።

ሱር ግሲ	መበገሲ
ቀተለ 1.1.1.	ቅተል 6.1.6
ባረኸ 4.1.1.	ባርኽ 4.6.6.
ሃደመ 1.1.1. (ገጽ 39 ረአ)	ህደም 6.1.6.
ሓረደ 1.1.1.	ሕረድ 6.1.6.
ደቀሰ 1.1.1. (ዝጠብቕ)	ደቅስ 1.6.6.
በልዐ 1.6.1.	ብላዕ 6.4.6.

ነዞም ሱር እዚኣቶም እንውስኽሎም ፊደላት ንመልከት።

ቀተለ

ንስኻ ቅተል፡ ንሕና ንቕትል፡ ንስኺ ቅተል +ኢ= ቅተሊ፡ (ንስኹም) ንስኻትኩም ቅተል+ኡ = ቅተሉ፡ ንሱ ይቕተል፡ (ንስኽን) ንስኻትክን ቅተል+ኣ =ቅተላ፡ ንሳ ትቕተል፡ (ንሶም) ንሳቶም ይቕተል+ኡ =ይቕተሉ: (ንሰን) ንሳተን ይቕተል+ኣ= ይቐትላ

ስለዚ እቲ ዚውሰኽ ፊደላት ተገንዚብና ነቲ ካልእ ግስታት'ውን ብተመሳሳሊ መገዲ ከነርብሖ ይግባኣና።

እንተኾነ ግን ኣብ ኣሉታ ኣብ ገሊኡ 'ኣይ' ከነዘውትር ከሎና ኣብ ገሊኡ ከኣ 'ኣይት' ነዘውትር። ስለዚ ከም ሓፈሻዊ ሕጊ ኪኾነና ነዚ ንመልከት:-

ንስኻ ኣይትቕተል፡ ንሕና ኣይንቕተል
ንስኺ ኣይትቕተሊ፡ ንስኻትኩም ኣይትቕተሉ
ንሱ ኣይቕተል፡ ንስኻትክን ኣይትቕተላ
ንሳ ኣይትቕተል፡ ንሳቶም ኣይቕተሉ
ንሳተን ኣይቕተላ

ባህርያት ግስታት ትግርኛ

መሰረታዊ ሕግን ኣገባብን

ኣብ ቋንቋ ትግርኛ እቲ ሱር-ግሲ እዚ ዚስዕብ ተሪር ባህርያት ኣለዎ።

1. ዝኾነ ይኹን ሱር-ግሲ ካብ ሰለስተ ክሳብ ሽዱሽተ ብዝምብዛሑ ፊደላት ዝቼመ ደኣምበር ካብ ሰለስተ ዚውሕድ:* ካብ ሽዱሽተ ድማ ዚበዝሕ ፊደላት ዝሓዘለ ሱር ግሲ የልቦን።

<u>ንኣብ</u>፥ ቀተለ (3 ፊደላት): ደንገጸ:(4 ፊደላት)
ተወርወረ (5 ፊደላት) ኣዕገርገረ (6 ፊደላት)

2. ዝኾነ ይኹን ብሰለስተ ወይ ካብኡ ብዚበዝሕ ፊደላት ዝቼመ ሱር-ግሲ ኣብ ውሽጡ <u>ካዕብ</u>: <u>ሳልስ</u>: <u>ሓምስ</u> ወይ <u>ሳብዕ</u> ፊደላት ኪህልዎ ኣይክእልን።

<u>ንኣብ</u>፥ ከወነ (111): ባረኸ (411): ወርወረ (1611):
ደንገጸ (1611): ኣህተፍተፈ (161611)

3. ኣብ ናይ ትግርኛ ግስታት ዝጠብቕ ወይ ዝተርር ፊደል እንተሎ ኣብቲ ሰለስተ ዝፊደሎም ግስታት ጥራይ ኢዩ ዚርከብ፤ ንሱ ድማ ኩሉ ጊዜ እቲ ማእከላይ ፊደል ኢዩ።

<u>ንኣብ</u>፥ ሰ<u>ወ</u>ተ: ቀ<u>ደ</u>ሰ: መ<u>ደ</u>ረ: ነ<u>ጸ</u>ረ (እቲ ተሓንጺጹሉ ዘሎ ፊደል እቲ ዚተርር ኢዩ)

እምበኣር ንግስታት ትግርኛ ብእተፈላለየ ኣገባባቶም ክንትንትኖም ንፈትን፥

I. <u>ብዝሒ ፊደላት</u>

(ሀ) <u>ስሉስ ፊደል</u> (ለ) <u>ርቡዕ ፊደል</u>

---

* ከደ፡ መጸ፡ ሃበ፡ በለ... ክልተ ዘይኮነስ ሰለስተ ፊደላት ዝሓዘሉ ኢዮም (= ከየደ፡ መጽኣ፡ ወሃበ፡ በሃለ...)

ግሲ

ቀተለ
ሓመመ

ኣቐመጠ
ደንገጸ
ተንሰአ

(ሐ) ሕሙስ ፊደል
ተተርኣሰ
ተወርወረ

(መ) ስዱስ ፊደል
ኣህተፍተፈ
ኣዕገርገረ

II. ብኣጀማምራ ፊደላት

(ሀ) ብራብዕ ፊደል ተነባቢ ዚጀምሩ
ባረኸ፡ ባደመ፡ ጋረደ
ማረኸ ባኸነ

(ለ) ብግእዝ ፊደል ተነባቢ ዚጅምሩ
ቀተለ
ደመረ

(ሐ) ብራብዕ ፊደል መድመጽቲ* ዚጅምሩ
ኣመነ
ዓደመ

III. ብጥምረ- ድምጺ (ሲላብል) ኪከፋፈሉ ከለዉ

(ሀ) ክልተ ጥምረ-ድምጺ
በል'ዐ'
መጽ'አ'

(ለ) ስሉስ ጥምረ-ድምጺ
ቀ'ተ'ለ'
ወር'ወ'ረ'

(ሐ) ርቡዕ ጥምረ-ድምጺ
ኣህ'ተፍ'ተ'ፈ'
ኣስ'ተው'ዓ'ለ'

(መ) ሕሙስ ጥምረ-ድምጺ
ተ'ወ'ሳ'ወ'ሰ'

---

* መድመጽቲ ወይ ጎረሮኣውያን ፊደላት አ ሀ ዐ ሐ ኢዮም። ንሳቶም ኣብ ረባሕታ ናይ ግዕዝን ራብዕን ተውራራሲ ጠባያት ኣለዎም።

<u>መዘኻኸሪ፥</u>

ተነባቢ ኪበሃሉ ክለዉ አ.ዐ.ሐ.ሀ. ዘይኮኑ ፊደላት ማለት ኢዩ።
አንበብቲ ወይ መድመጽቲ ግን አ.ዐ.ሐ.ሀ. ኢዮም።

- ናይ ትግርኛ ስሉስ ግሲ ብግእዝ ፊደል ጀሚሩ ብተነባቢ ዚቕጽል እንተደአ ኾይኑ: እቲ ዚህልዎ ቅርጺ 1.1.1 ጥራይ ኢዩ። ንኣብነት <u>ደቀሰ</u>: <u>ፈከረ</u>: መድመጺ ኪህልዉዎ ከኣ ፈጺሙ ኣይክእልን ኢዩ።
- ሓደ ስሉስ- ግሲ ኣቀማምጣኡ 1.4.1. ምስ ዚኸውን እታ ማእከለይቲ ፊደል ግድን መድመጺት ኢያ። ንኣብነት <u>መሃዘ</u>: <u>ገዓረ</u>: <u>ለኣኸ</u>
- ኣብ ናይ ትግርኛ ስሉስ-ግሲ እታ መጀመሪያ ፊደል መድመጺት እንተደአ ኮይና ኩሉ ጊዜ ራብዕ ኮይና ኢያ እትተርፍ። ንኣብነት <u>ሃደነ</u>: <u>ኣሰረ</u>: <u>ዓለመ</u>

<u>ስራሕን ኣገባብን ቅርጽን ግሲ</u>

ኣብዚ ክፍል'ዚ ነቶም ሱር-ግስታት ብሰዋስውን ትሕዝቶን ቅርጽን ንምርኣይ ክንፍትን ኢና። እዞም ንትንተና ቀሪብናዮም ዘሎና ግስታት <u>በልዐ</u>: <u>ቀተለ</u>: <u>መርመረ</u> ኢዮም።

<u>ሀ) ሰራሒ</u>
በልዐ (1.6.1)
ቀተለ (1.1.1)
መርመረ (1.6.1.1)

<u>ለ) ተሰራሒ</u>
ተበልዐ (1.1.6.1.)
ተቐትለ (1.1.6.1.)
ተመርመረ (1.1.4.1.1.)

<u>ሐ) ኣስራሒ</u>
ኣብለዐ (4.6.1.1.)
ኣቕተለ (4.6.1.1.)
ኣመርመረ (4.1.6.1)

<u>ሰራሒ ተደጋጋሚ</u>
በላልዐ (1.4.4.6.1)
ቀታተለ (1.4.1.1.)
መራመረ (1.4.1.1.)

<u>ተሰራሒ ተደጋጋሚ</u>
ተበላልዐ (1.1.4.6.1.)
ተቐታተለ (1.1.4.1.1.)
ተመራመረ (1.1.4.1.1.)*

<u>ኣስራሒ ተደጋጋሚ</u>
ኣበላልዐ (4.1.4.6.1)
ኣቀታተለ (4.1.4.1.1.)**
ኣመራመረ (4.1.4.1.1.)

---

* <u>ተመራመረ</u> ናይ ምድግጋም ጥራይ ዘይኮነስ ናይ ምግዳልን ምጽዓርን ጠባይ'ውን ዝሓዘ ኢዩ።

** ገለ ሰባት ኣቃታተለ ዚብሉ ኣለዉ: እዚ ግን ግጉይ ኢዩ። ኣብ ናይ ትግርኛ ግሲ ክልተ ራብዕ ፊደላት ጥቓ-ጥቓ እንተደአ ሰፊሮም ሓዲኦም ወይ ክልቲኣቶም መድመጽቲ ኪኾኑ ይግብኦም።

ቅርጽን ኣረባብሓን ግስታት ትግርኛ ብነዊሑ

I. **ስሉስ ፊደል**

ሀ. 1.1.1. ቅርጺ ዘለዎም

1. ቀተለ 4. ከተተ
2. ደመረ 5. መወተ
3. መመየ

ኣብ ኣረባብሓ= ቍ. 1 = 4 ቍ. 2 =3 ቍ. 5 ግን ነቲ ወ ናብ የ ብምልዋጥ ለውጢ የርኢ።

ለ. 1.4.1. ቅርጺ ዘለዎም

1. ከሓደ 4. ደሃለ
2. ገዓረ 5. በሃለ*
3. ሰኣለ 6. ወሃበ*

እዞም ግስታት እዚኣቶም ኣረባብሓኦም ሓደ ኪኸውን ከሎ: ማእከላይ ፊደሎም ኩሉ ጊዜ ራብዕ ኮይኑ ኬብቅዕ መድመጺ ከኣ ኢዩ።

ሐ. ብኣድመጽቲ ድምጺ ጀሚሮም 4.1.1. ቅርጺ ዘለዎም

1. ዓለበ 4. ኣመነ
2. ሓደረ 5. ዓመጸ
3. ሃደመ 6. ሓገዘ

ኣብ ኣረባብሓ ቍ. 1=2=3=4 ቍ. 5=6

መ. ብተነባቢ ዝጅምሩ 4.1.1. ቅርጺ ዘለዎም

1. ባረኸ 3. ጻመወ
2. ማረኸ 4. ዛረየ

ሓደ ዓይነት ኣረባብሓ ይኽተል።

---

* በሃለ ወሃበ ኣብ ቋንቋ ትግርኛ በቲ ሓጺር ኣገባቦም ኢዮም ዚፍለጡ: ማለት በለ: ሃበ:...

ግሲ

ሰ. 1.6.1 ቅርጺ ዘለዎም

1. በልዐ
2. ቀድሐ
3. መጽአ
4. በርሀ

እዞም ከምዚ ዝበለ ቅርጺ ዝሓዙ ግስታት መወዳእታ ፊደሎም ኩሉ ጊዜ ግእዝ ኮይኑ መድመጺ ከኣ ኢዩ።

ረ. 4.6.1 ቅርጺ ዘለዎም

1. ሓብአ
2. ሃድአ
3. ሓጥአ
4. ሓዝአ

II. ርቡዕ ፊደል

ሀ. 1.6.1.1. ቅርጺ ዘለዎም

1. ወርወረ
2. መርመረ
3. ወሰወሰ

ለ. 4.6.4.1. ቅርጺ ዘለዎም

1. ሓርሓረ
2. ሓግሓገ
3. ዓርዓረ
4. ሳዕሳዐ

ሐ. 4.6.1.1. ቅርጺ ዘለዎም

1. ሓንጠጠ
2. ሃውተተ
3. ሓንቀቐ
4. ላህለሀ

ነፍሲ ወከፍ ጉጅለ ሓደ ዓይነት ኣረባብሓ ይኽተል።

III. ሕሙስ ፊደል

ሀ. ብ"ኣ" ጀሚሩ 4.4.6.1.1. ቅርጺ ዘለዎ

1. ኣዋህለለ

ለ. ብ"ኣ" ጀሚሩ 4.1.6.1.1. ቅርጺ ዘለዎ

1. ኣቔምጠዐ
2. ኣረምሰሰ

ሐ. ብ"ተ" ጀሚሩ 1.1.6.1.1. ቅርጺ ዘለዎ

1. ተተምነየ

ነፍስ ወከፍ ጉጅለ ሓደ ዓይነት ኣረባብሓ ይኽተል።

IV <u>ስዱስ ፊደል</u>

እዚኣቶም ኩላቶም 4.6.1.6.1.1. ቅርጺ ዘለዎም ኢዮም

1. ኣስተውዓለ* 3. ኣንጸርጸረ

2. ኣህተፍተፈ 4. ኣዕገርገረ ....

እዚኣቶም ኣረባብሓኦም ሓደ ኪኸውን ከሎ ኣብ ቋንቋ ትግርኛ ብሓሙሽተ ወይ ሽዱሽተ ፊደላት ዚጸሓፉ ግስታት ኩሉ ጊዜ ብ"ኣ" ወይ ብ"ተ" ኢዮም ዚጅምሩ።

<u>ድርብ ግስታት</u>

ገለ ግስታት ንበይኖም ዘይኮነስ ምስ <u>በለ</u> ወይ <u>ኣበለ</u> ብምኻን ዚግስሱ ኣለዉ።

-- ነዞም ድርብ ግስታት እዚኣቶም ብእተፈላለየ መገዲ ንመልከቶም።

i. <u>ደው ምባል</u>

(ሀ) <u>ሰራሒ</u> (ለ) <u>ኣስራሒ</u>

ደው በለ ደው ኣበለ

ii. <u>ፍር ምባል</u>

<u>ተገላባጢ</u> (ብ"በለ"ን ብዘይ "በለ"ን ዚሰርሕ)።

ፍር በለ

ነፈረ

<u>ዘይግልበጥ</u> ማለት ብ"በለ" ጥራይ ዚሰርሕ ግሲ።

ደው በለ (ኣብ ሓደ ቃል ኪጥቅለል ኣይክእልን ኢዩ)

-- እዞም ድርብ ግስታት እዚኣቶም ዝተፈላለየ ዕማም ኣለዎም።

1. <u>እተፈላለየ ድሃያት ከመልክቱ ከለዉ</u>

ውሕ በለ: ኛው በለት: ገው በለ

---

* መድመጽቲ ወይ ጎረሮኣውያን ፊደላት ኣ ሀ ዐ ሐ ኢዮም። ንሳቶም ኣብ ረባሕታ ናይ ግዕዝን ራብዕን ተውራራሲ ጠባያት ኣለዎም።

2. ዅነታት ኣቃውማን ምንቅስቓሳትን ኪገልጹ ከለዉ
   ኮፍ በለ: ዕዝር በለ: ድንን በለ: ሸተት በለ
3. ምድግጋም ኪገልጹ ከለዉ
   ስዕም ስዕም ኣበለ: ኳሕ ኳሕ ኣበለ
4. ስምዒት ኪገልጹ ከለዉ
   ብኽይ ኣበለ: ሕርቕ በለ: ሕርር በለ: ሞኽ በለ
5. ቅልጣፈ ተግባራት ኪገልጹ ከለዉ
   ህርም ኣበለ: ውቕዕ ኣበለ

(ንኣብ፥ ኮፍ እኳ ዘይበለ: ብደዉ ብልዕ ኣቢሉ ኢዩ እተዓዝረ)

ፍሉይ ባህርይ ዘለዎም ግስታት

እዞም ግስታት እዚኣቶም ብናይ ትእዛዝ ኣገባብ ኪረብሑ ከለዉ ካብቲ ሕጊ ውጽእ ዝበሉ ቃላት ይረኣዩሎም።

ንኣብ፥ ወሰደ ኢልና ውሰድ ንብል።

እንተኾነ ግን እቲ እንህቦ ዘሎና ነገር ኣብ ኢድና ምስ ዚጸንሕ ኣብ ክንዲ ውሰድ: እንካ ኢና እንብል።

ከምኡ'ውን መጽአ ኢልና ምጻእ ንብል።

እንተኾነ ግን እቲ እንጽውዖ ሰብ ኣብ ጥቓና ምስ ዚጸንሕ ኣብ ክንዲ ምጻእ: ንዓ ኢና እንብል።

ኪሓጽሩ ዚኽእሉ ግስታት

እዞም ግስታት እዚኣቶም ኣብ ዘረባ ይኹን ኣብ ጽሑፍ: በቲ ሓጺር ኣገባቦም ኢዮም ዚፍለጡ። ገሊኣቶም ግን እቲ ሓጺር ቅርጾም ኣብ ፍሉይ ዥርናዓት ኤርትራ ኢዩ ዚዝውተር።

ነዊሕ ኣገባብ	ሓጺር ኣገባብ
ከየደ	ከደ
ዓወደ	ደደ
ኣተወ	ኣቶ
ኣሓዘ	ሓዘ
ፈተወ	ፈቶ

ግሲ

መወተ	ሞተ
በሃለ	በለ
ሰተየ	ሰተ
ጠዓየ	ጠዐ
ወሃበ	ሃበ
ነቢሩ	ነሩ
ሓየሸ	ሓሸ
ሃለወ	ኣሎ
ለወሰ	ሎሰ
ገቢሩ	ጌሩ
ከወነ	ኮነ
መዊቑ	ሜቑ
ዓዊሩ	ዒሩ: ዔሩ
መጽአ	መጸ
ረአየ	ረኤ
ቀይሐ	ቄሐ

ምርባሕ ናይቶም "ወ" "የ"ን ዝሓዘሉ ግስታት

ከምቲ ኣብ ላዕሊ ዝረኣናዮ፡ እዞም ግስታት እዚኣቶም ብዝያዳ'ኳ በቲ ነዊሕ ኣገባቦም ኢዮም ዚፍለጡ። እዞም ግስታት'ዚኣቶም ብ"የ" ወይ ብ"ወ" ዚውድኡ ወይ ኣብ ማእከል ዘእትዉ መብዛሕትኡ ጊዜ ድማ ብሰለስተ ፊደላት ዚቘሙ ኢዮም። እዚኣቶም ብርቱዓትን ድኹማትን ተባሂሎም እብ ክልተ ይኽፈሉ:-

1. ብርቱዓት ዚብሃሉ እቲ ኣብ ማእከሎም ዘሎ "የ" ወይ "ወ" ተሪር ምስ ዚኸውን ኢዩ።
   ንኣብ፥ ሰየመ: ሰወደ: ቀየረ: ዓወረ: ሓየለ: ወዘተ...
2. ድኹማት ዚብሃሉ ኸኣ እቲ ኣብ ማእከሎም ዘሎ "የ" ወይ "ወ" ፈኲስ ምስ ዚኸውን ወይ ከኣ ብ"የ" ወይ ብ"ወ" ምስ ዚውድአ ኢዩ።

ግሲ

<u>ንኣብ:-</u> ከየደ: ሸየነ: መወተ: መወቐ: ወዘተ...

ኣተወ: ቀለወ: ሰተየ: ረኣየ: ሰንደወ ወዘተ...

እምበኣር ካብ <u>ብርቱዓት</u> "ቀየረ" ካብ <u>ድኹማት</u> ድማ "ከየደ" "ኣተወ" እብ ረባሕታ ኣእቲና እቲ መደባውን ልማዳውን ቅርጸም ፈላሊና ክንዕዘቦም ኢና።

<u>ቀየረ</u>	<u>ከየደ</u>	<u>ኣተወ</u>
እነ እቕይር	እኽይድ	(እኣትው) እኣቱ
ንስኻ ትቕይር	ትኽይድ	(ትኣትው) ትኣቱ
ንሱ ይቕይር	ይኽይድ	(ይኣትው) ይኣቱ
ንሕና ንቕይር	ንኽይድ	(ንኣትው) ንኣቱ
ንስኻትኩም ትቕይሩ	(ትኽይዱ)ትኸዱ	ትኣትዉ
ንሳቶምይቕይሩ	(ይኽይዱ)ይኸዱ	ይኣትዉ
<u>ትእዛዝ</u>	<u>ትእዛዝ</u>	<u>ትእዛዝ</u>
ኣነ እቐይር *	(እኽየድ) እኺድ	(እእተው) እእቶ
ንሱ ይቐይር	(ይኽየድ)ይኺድ	(ይእተው) ይእቶ

<u>መዛዘሚ</u>

እምበኣር ኣብ ቋንቋ ትግርኛ ሓደ ግሲ "ወ" ወይ "የ" ኣኽቲሉ ምስ ዚረብሕ: ባህሪያቱ ይለዋወጥ ኢዩ።

1. "ሰ" ምስ "የ" ተሓዊሱ "ሸ" ናይ ምኻን ባህሪ የርኢ።
   <u>ንኣብ</u>፥ ሰየመ= ሾመ፡ሸመ
2. ዝኾነ ፊደል ምስ "ወ" ተሓዊሱ ናይ ሳብዕ ድምጺ የምጽእ። <u>ንኣብ</u>፥ ከወነ= ኮነ: መወተ= ሞተ...
3. ከምኡ'ውን "አ" "ዐ" "ሐ" "ሀ" ምስ "የ" ወይ ም ስ "ወ" ምስ ዚሕወስ እቲ ቅርጺ ይልወጥ ኢዩ።

<u>ንኣብ</u>፥ ርእዩ= ሪኡ፡ ዓዊሩ= ዒሩ: ሓዪኹ= ሒኹ...

ነዚ ኣስፊሕና ንምርኣይ: "ከወነ" "ረኣየ" "መወተ" "ዓወረ" "ሓየሸ" ዚብሉ ግስታት ወሲድና ንመልከት፡-

---

*ብዝያዳ ናብ ለመና ዝዘንበለ ቅርጺ እዩ

ግሲ

1\. <u>ከወነ</u>

ኣነ (ከዊነ) ኮይነ

ንሱ (ከዊኑ) ኮይኑ

<u>ትእዛዝ</u>

(ክወን) ኩን

<u>ሕሉፍ</u>

(ከዊኑ) ኮይኑ

2\. <u>መወተ</u>

ኣነ እመውት

ንሱ ይመውት

<u>ትእዛዝ</u>

(ምወት) ሙት

<u>ሕሉፍ</u>

(መዊቱ) ሞይቱ

3\. <u>ረአየ</u>

ኣነ (እርእይ) እርኢ

ንሱ (ይርእይ) ይርኢ

<u>ትእዛዝ</u>

ረኣይ፡ ርአ

<u>ሕሉፍ</u>

ርእዩ

4\. <u>ዓወረ</u>

ኣነ እዓውር

ንሱ ይዓውር

<u>ትእዛዝ</u>

(ዕወር) ዑር

<u>ሕሉፍ</u>

ዓዊሩ፡ ዒሩ

5\. <u>ሓየሸ</u>

ኣነ እሓይሽ፡ እሕሽ

ንስኻ ትሓይሽ፡ ትሕሽ

<u>ትእዛዝ</u>

(ሕየሽ) ሕሽ

<u>ሕሉፍ</u>

(ሓይሹ) ሕሹ

ብሰፊሑ (ሀ) <u>ከወነ</u> (ለ) <u>ገበረ</u> (ሐ)መወተ (መ) <u>ለወሰ</u> ንመልከት።

ሀ) <u>ከወነ</u>

ኣነ ኮይነ	ንሕና ኴንና
ንስኻ ኴንካ	ንስኻትኩም ኴንኩም
ንስኺ ኴንኪ	ንስኻትክን ኴንክን
ንሱ ኮይኑ	ንሳቶም ኮይኖም
ንሳ ኮይና	ንሳተን ኮይነን

ግሲ

ለ) <u>ገበረ</u>

ገይረ	ጌርና
ጌርካ	ጌርኩም
ጌርኪ	ጌርክን
ገይሩ	ገይሮም
ገይራ	ገይረን

ሐ) <u>መወተ</u>

ሞይተ	ሜትና
ሜትካ	ሜትኩም
ሜትኪ	ሜትክን
ሞይቱ	ሞይቶም
ሞይታ	ሞይተን

መ) <u>ለወሰ</u>

ለይሰ	ሌስና
ሌስካ	ሌስኩም
ሌስኪ	ሌስክን
ለይሱ	ለይሶም
ለይሳ	ለይሰን

<u>**ኣስተውዕል**</u>፥ እቲ "የ" ፊደል ወይ ድምጺ ኣብ 1ይ ኣካል ንጽል: 3ይ ኣካል ንጽልን ድርብን ኪኣቱ ኸሎ ኣብቲ ዝተረፈ ግን ኣይኣቱን።

<u>**ምንጩዋት ቃላት**</u>

(ንመላመድን መወከስን)

	<u>ከወነ</u>	<u>ቀተለ</u>	<u>መወተ</u>	<u>ለወሰ</u>
<u>ስማዊ ግሲ</u> (ኣርእስቲ)=	ምዃን	ምቕታል	ምምዋት	ምልዋስ
<u>ግሳዊ ኣገባብ</u>=	ኣካውና	ኣቃትላ	ኣማውታ	ኣላውሳ
<u>ረቂቕ ስም</u>=	ኵነት	ቅትለት	ሞት	ለወሳ
<u>ሳልስ ቅጽል</u>=	ከዋኒ	ቀታሊ	መዋቲ	ለዋሲ
<u>ሳድስ ቅጽል</u>=	ክዉን	ቅቱል	ምዉት	ልዉስ
<u>ትእዛዝ</u>=	ኩን	ቅተል	ሙት	ልወስ
<u>ቅዱም</u>=	ኮነ	ቀተለ	ሞተ	ለወሰ
<u>ኣተግባሪ</u>=	መኾኒ (መኽወኒ)	መቕተሊ	መሞቲ (መምወቲ)	መሎሲ (መልወሲ)

ግሲ

ምሉእ ሓሳባት

ምሉእ ሓሳባት ኪበሃል ከሎ ብሓፈሻ <u>በዓልቤትን</u> <u>ግስን</u> <u>ተሳሓብን</u> ዝሓዘ እርኑብ ሓሳብ ኪገልጽ ዚኽእል እኩብ ቃላት ኢዩ።

<u>ንኣብ፥</u> ሃብቶም ኣንበሳ ቀቲሉ

ሃብቶም=በዓልቤት(እቲ ምቕታል ብሃብቶም'ዩ ተፈጺሙ)

ኣንበሳ= ተሰሓቢ (እቲ ምቕታል ናብቲ ኣንበሳ ሓሊፉ)

ቀቲሉ= ግሲ (ተግባር ኣካዪዱ)

'ሃብቶም ደቂሱ' ክንብል ከሎና ግን በዓልቤትን ግስን እኳ እንተ ኣለዉና: እቲ ግሲ (ደቂሱ) ተሳጋሪ ስለ ዘይኮነ እቲ ተግባር፥ ካብ 'ሃብቶም' ናብ ካልእ (ተሰሓቢ) ኪሓልፍ ኣይረአን ኣሎ።

<u>ንጡፍ ም.ሓሳብ፥</u> ኣብዚ ም.ሓሳብ'ዚ: እቲ በዓልቤት ሓደ ተግባር ምስ ዚፍጽም: እቲ ተግባር ናብቲ ተሰሓቢ ይሓልፍ። <u>ንኣብ</u>፥ ሰሎሙን ነብሪ ቐቲሉ

<u>ልኡም ም.ሓሳብ፥</u> ኣብዚ ምሉእ ሓሳብ'ዚ እቲ ተግባር ዚፍጸሞ ዘሎ ንሱ በዓልቤት ይኸውን። <u>ንኣብ</u>፥ እቲ ኣንበሳ <u>ብ</u>ሃብቶም <u>ተ</u>ቐቲሉ

(ኣብዚ ኣሰራርዓ'ዚ: ኣብ ቅድሚ በዓልቤት 'ብ' ኣብ ቅድሚ ግሲ ኸኣ 'ተ' ኣትዩ ንርኢ)

ተሰሓቢ

ተሰሓቢ ኪብሃል ከሎ የግዲ ስም ኪኸውን ኣየድልን ኢዩ፥ ክንድስም ተሰሓቢ'ውን ኣሎ።

ሃብቶም ነቲ ኣንበሳ ቀቲሉ<u>ዎ</u>

ሃብቶም ቀቲሉ<u>ዎ</u>

<u>'ዎ'</u> ነቲ ኣንበሳ ማለት ኢዩ

ግሲ

<u>ተሰሓቢ ክንድስም ብዘይ ግሲ</u>

<u>በዓልቤት</u>	<u>ተሰሓቢ ክ.ስም ብዘይ ግሲ</u>
ኣነ	ንኣይ
ንስኻ	ንኣኻ
ንስኺ	ንኣኺ
ንሱ	ንኣኡ
ንሳኢዩ	ንኣኣ
ንሕና	ንኣና
ንስኹም/ንስኻትኩም	ንኣኹም (ንኣኻትኩም)
ንስኽን/ንስኻትክን	ንኣኽን (ንኣኻትክን)
ንሶም/ንሳቶም	ንኣኦም (ንኣታቶም)
ንሰን/ንሳተን ንኣኣን	(ንኣአን) ንኣታተን

<u>ተሰሓቢ ክ. ስም ምስ ግሲ (ቀተለ)</u>

<u>ሱር "እቐትል"</u>

ኣነ፥

ንኣኻ .... እቐትል +<u>ኣካ</u>= (እቐትለካ)

ንኣኺ .... እቐትል+<u>ኣኪ</u>= (እቐትለኪ)

ንኣኡ .... እቐትል+<u>ኦ</u>= (እቐትሎ)

ንኣኣ .... እቐትል+<u>ኣ</u>= (እቐትላ)

ንኣኻትኩም/ንኣኹም...እቐትል+<u>ኣኩም</u>= (እቐትለኩም)

(ንኣኻትክን) ንኣኽን..... እቐትል+<u>ኣክን</u>= (እቐትለክን)

(ንኣታቶም) ንኣኦም..... እቐትል+<u>ኦም</u>= (እቐትሎም)

(ንኣታተን) ንኣአን..... እቐትል+<u>ኣን</u>= (እቐትለን)

እቲ ተሰሚሩሉ ዘሎ ተሰሓቢ ክ. ስም ኢዩ

<u>ሱር "ይቐትል"</u>

ንሱ

ንኣይ .... ይቐትል+<u>ኣኒ</u>= (ይቐትለኒ)

ንኣኻ .... ይቐትል+<u>ኣካ</u>= (ይቐትለካ)

ንኣኺ .... ይቐትል+<u>ኣኪ</u>= (ይቐትለኪ)

ንኣኣ .... ይቐትል+<u>ኣ</u>= (ይቐትላ)

ንኣአን .... ይቐትል+<u>ኣን</u>= (ይቐትለን)

ንኣና .... ይቐትል+ኣና= (ይቐትለና)

(ንኣኹም)ንኣኻትኩም...ይቐትል+ኣኩም= (ይቐትለኩም)

(ንኣኽን) ንኣኻትክን......ይቐትል+ኣክን= (ይቐትለክን)

(ንኣኦም) ንኣታቶም.......ይቐትል+ኦም= (ይቐትሎም)

(ንኣኣን) ንኣታተን....... ይቐትል+ኣን= (ይቐትለን)

ኣዕማድ

ኣብ ትግርኛ ንሓደ ነገር ብኻልእ ኣካል ከተፈጽም ከሎኻ ክልተ ወይ ብዙሓት ነንሓድሕዶም ኪዋስኡ ከለዉን ከምኡ'ውን ሓደ ነገር ባዕሉ ኣብ ገዛእ ርእሱ ተግባር ኪፍጽም ከሎ ወይ ከኣ ምስ ብዙሓት ተግባራት ኮይኑ ተግባር ኪፍጽም ከሎ ዚገልጽ እተፈላለየ ግስታት ኣሎ። እዚ ኸኣ ኣዕማድ ይብሃል።

እምበኣር ነዚ ኣብዚ ዚስዕብ ሰሌዳ ንመልከቶ።

ሰራሒ	ኣስራሒ	ኣሳራሒ	ኣሰራራሒ	ተሰራሒ	ተሳራሒ	ተሰራራሒ
ጸሓፈ	ኣጽሓፈ	ኣጻሓፈ	ኣጸሓሓፈ	ተጻሕፈ	ተጻሓፈ	ተጸሓሓፈ
በልዐ	ኣብልዐ	ኣባልዐ	ኣበላልዐ	ተበልዐ	ተባለዐ	ተበላልዐ

ነዚ ግስታት እዚ ምስ እንዝርዝሮ ነዊሕ ምኻኑ ንርኢ፥

ንኣብ፥ "ቀተለ"

ሰራሒ፥ ቀተለ

ኣስራሒ፥ ኣቕተለ (ንሓደ ሰብ ብኻልእ ሰብ ከም ዚመውት ገበረ)

ኣሳራሒ፥ ኣቃተለ (ኣብ ምቕታል ሓገዘ)

ኣሰራራሒ፥ ኣቀታተለ (ንሓደ ሰብ ወይ ጉጅለ ብሓደ ሰብ ወይ ብጉጅለ ከም ዚመውት እቲ ሓደ'ውን ከም ዚመውት ማለት እቲ ሓደ ነቲ ሓደ እቲ'ውን ነቲ ከም ዚቐትል ገበረ)

ተሰራሒ፥ ተቐትለ (ካልእ ሰብ ብዝፈጸሞ ቅትለት ሞተ)

ተሰራሒ፥ ተቓተለ (እቲ ሓደ ነቲ ካልእ ቀተለ)

ግሲ

<u>ተሰራራሒ</u>፥ ተቐታተለ (እቲ ሓደ ነቲ ካልእ ቀተለ እቲ ካልእ'ውን ነቲ ሓደ ቀተለ)

<u>ኣስተውዕል</u>፥ ከም ደቀሰ: ከየደ: መወተ: ሓምበሰ: ጕየየ: ዚኣመስሉ ግሳት ተሳገርቲ ስለ ዘይኮኑ ኣብ ተሰራሒን ተሰራራሒን ዘለዎም ቦታ ነቲ ባህርያቶም ይልውጦ ኢዩ።

<u>ሰራሒ</u>	<u>ኣስራሒ</u>	<u>ኣሰራራሒ</u>	<u>ተሰራሒ</u>	<u>ተû̂ራሒ</u>	<u>ተሰራራሒ</u>
ደቀሰ	ኣደቀሰ	ኣደቓቀሰ	ተደቀሰ	ተዳቐሰ	ተደቓቐሰ
መጽአ	ኣምጽአ	ኣመጻጽአ			
ረአየ	ኣርኣየ	ኣረኣኣየ	ተራእየ		ተረኣኣየ

(<u>ተዳቐሰ</u>፥ <u>ተደቓቐሰ</u> ማለት ተሓጋጊዙ ደቀሰ ማለት'ውን ኪኸውን ይኽእል ኢዩ)። ነዚ ኣረባብሓ'ዚ ዚኸውን ሕጊ ንምውጻእ ጊዜን ቦታን ዚወስድ ስለ ዝኾነ: እቲ ኣንባቢ ሓንቲ ግሲ ወሲዱ ንዓኣ ብምርባሕ: ንኣኣ ዚመስላ ኩለን ግስታት ከምኣ ከም ዚረብሓ ኪፈልጥ ይኽእል'ዩ።

<u>ንኣብ፥</u> ናይ "ቀተለ" ኣረባብሓ እንተደኣ ርኢና ናይ "መረጸ" 'ውን ከምኡ ኢዩ። ናይ "ደቀሰ" (ማእከላይ ፊደል ዚጠብቕ) እንተርኢና'ውን ናይ "ቀጸለ" ከምኡ ኢዩ ወዘተ...

<u>ኣቃተለ</u>፡ <u>ኣባልዐ</u>፡ <u>ኣሳተየ</u>፡ <u>ኣማጸአ</u>... ዚብሉ ግስታት ግን ከም መሰነይታ ተግባር በዓልቤት ዚዝውተሩ ኢዮም። ሓጋዚ ኣሰራራሒ ከኣ ንብሎም።

<u>ንኣብ፥</u> ንዓ ኣሳትየኒ: ብዙሕ ዝብላዕ ኣሎኒ'ሞ ኣባልዓኒ። ንተወሳኺ ኣብነት ዚኸውን "ቀተለ" ዚብል ቃል ንርአ።

<u>ሰራሒ</u>፥ ኣነ ነብሪ ቀቲለ

<u>ኣስራሒ</u>፥ ኣነ ነብሪ ኣቕቲለ

<u>ኣሰራራሒ</u>፥ ኣነ ንጸላእተይ ኣቀታቲለ

<u>ተሰራሒ</u>፥ ሓደ ነብሪ ብኣይ ተቐትለ

ቅጽል

ተሰራራሒ፥ ፊተውተይ ብኣይ ምኽንያት ተቐታተሉ

ሓጋዚ ኣሰራራሒ፥ እተን ኣናጹ ሞኽ ስለ ዘበላኦ ኣቃቲለዮ

መጠንቀቒ፥ ኣበላልዓ: ኣሰታትያ: ኣቀታትላ

ኣከያይዳ (ኣካይዳ): ኣረጋግጻ ወዘተ...

እዞም ኣብ ላዕሊ እተጠቕሱ ግስታት ስማዊ

ሓረጋት ኢዮም።

ንኣብ፥ ኣበላልዓ = ናይ ምብላዕ ኣገባብ

ኣቀታትላ= ናይ ምቕታል ሜላ ወዘተ...ማለት ኢዩ።

ንኣብ፥ ኣበላልዓኻ ኣዓርዮ

ኣዘራርባኻ ኣይትጸይቕ

ቅጽል

ቅጽል ዚበሃል ንሓደ ነገር ብኹነታቱን ትሕዝቶኡን ቅርጹን ጠባዩን ባህርያቱን መልክዑን ወሰን ዘትሕዝ ክፍሊ ሰዋስው ኢዩ። ቅጽል ንስም ጥራይ ዘይኮነስ ንክንድስም'ውን ይውስኖ ኢዩ።

ቀዪሕ ፈረስ: ነዊሕ ኦም: ትሑት ጋሻ: ሕማቕ መዓልቲ: ንሱ ሓያል ኢዩ: ንሳ ፈኳስ ኢያ ወዘተ... እዞም ኣብ ትሕቲኦም ተሰሚሩሎም ዘለዉ ቃላት ንስምን ንክንድስምን ስለ ዚውስኑ ቅጽላት ኢዮም።

11 ዓይነት ቅጽላት ኣለዉ: ንሳቶም ከኣ:-

ሀ)ናይ ሕብሪ ቅጽል

ለ)ናይ ቅርጺ ቅጽል

ሐ)ናይ ዓይነት ቅጽል........

ቅጽል

......መ) ናይ ወገን ቅጽል

ሰ) ናይ ኣሃዝ ቅጽል

ረ)ናይ መኣዝን ቅጽል

ሸ)ናይ መለክዒ ቅጽል

ቀ)ናይ ኣመልካቲ ቅጽል

በ)ናይ ዋንነት ቅጽል

ተ)ናይ ሕቶ ቅጽል

ነ)ዘይውሱን ቅጽል

አ)ኣዛማዲ ቅጽል

ሀ) **ናይ ሕብሪ ቅጽል፣** ጸሊም (ጸላም): ጻዕዳ: ቀዪሕ: (ቀያሕ): ብጫ: ሓምላይ: ቀጠልያ: ቡናዊ (ቡናዊት): ሰማያዊ (ሰማያዊት): ፈገሳይ: ሓምኹሽታይ...

ለ) **ናይ ቅርጺ ቅጽል፣** ከቢብ (ከባብ): ሸሊሕ (ሸላሕ): ወጥዋጥ: ነዊሕ (ነዋሕ): ሓጺር (ሓጻር): ደጕዳግ ...

ሐ) **ናይ ዓይነት ቅጽል፣** ሓያል: ድኹም (ድኽምቲ): ርሱን (ርስንቲ): ዝሑል (ዝሕልቲ): ቍጡዕ (ቍጥዕቲ): ሕያዋይ (ሕያወይቲ): ጨካን ....

ሓድሓደ ጊዜ እቶም ካብ ግሲ እተወስዱ ቅጽላት ክልተ ሳድስ ቅጽላት የርእዩ ኢዮም።

ንኣብ፥	ግሲ	ሳድስ ቅጽል	ቅጽል
		(ሀ)	(ለ)
	ሰረቐ	ስሩቕ	ስራቕ*
	በልዐ	ብሉዕ	ብላዕ
	ቀተለ	ቅቱል	ቅታል
	ወጽአ	ውጹእ	ውጻእ
	ደርበየ	ድርቡይ	ድርባይ....

*ኣብ (ለ) ዘለዉ ስሉስ ቅጽላት እቲ ማእከላይ ፊደላቶም ኪጠብቕ ይግባእ።

ቅጽል

ተወሳኺ፡ ካብ ግሲ ዚወጽእ ቅጽል (ሳድስ ቅጽል)

ግሲ	ሳድስ ቅጽል	ኣንስታይ
ወጽአ	ውጹእ	ውጽእቲ
ሰረቐ	ስሩቕ	ስርቕቲ
በልዐ	ብሉዕ	ብልዕቲ
ረሰነ	ርሱን	ርስንቲ
ጸሓፈ	ጽሑፍ	ጽሕፍቲ
ባረኸ	ብሩኽ	ብርኽቲ
መረቐ	ምሩቕ	ምርቕቲ
መረጸ	ምሩጽ	ምርጽቲ

ንኣብ፡ ብሩኽ መዓልቲ: ምሩቕ ቈልዓ:
ርሱን እቶን: ጽሑፍ ታሪኽ: ብጽእቲ ለይቲ...

ኣስተውዕል፡ ኣብ ትሕቲ (ሀ) ዘሎ ሳድስ ቅጽል ኣንስታይ ጾታ ኪህሉዎ ከሎ: ኣብ ትሕቲ (ለ) ዚርከብ ግን የብሉን።

ተወሳኺ: ኣብ ቋንቋ ትግርኛ ንሓደ ስም ከም ቅጽል ክንጥቀመሉ ንኽእል ኢና።

ንኣብ፡ ኣድጊ በረኻ፡ ወዲ ዓዲ፡
ኣፍ ደገ፡ ድቃስ ለይቲ፡
ቤት ትምህርቲ፡ ሕማም ዓሶ፡
ትምህርቲ ሰንበት፡ ደርሆ ማይ፡
እቶም ኣብ ትሕቲኦም ተሰሚሩሎም ዘሎ ቃላት ስም እኳ እንተ ኾኑ: ከም ቅጽል ኢዮም ዘገልግሉ።"ኣድጊ በረኻ" ክንብል ከሎና "ናይ በረኻ ኣድጊ" ማለትና ኢዩ ካልእ እውን ከምኡ።

ቅጽል

(መ) <u>ናይ ወገን ቅጽል</u>

“ዊ” “ዊት” እናእቶና እውን ካብ ስም ቅጽል ነውጽእ ኢና (እዚ ግን ካብ ግእዝ ዝወጸ ኣገባብ ኢዩ)።

ኤርትራ፡ ኤርትራ<u>ዊ</u>፡ ኤርትራ<u>ዊት</u>

ኤርትራ<u>ውያን</u>

እዚ ኣብ ላዕሊ ተጠቒሱ ዘሎ ኣብነታት ኪበዝሕ ከሎ እቲ ብ”ዊ” ዝውድእ “ውያን” እቲ ብ”ዊት” ዚውድእ ከኣ “ውያት” ይኸውን።

ይኹን’ምበር፡ ኩሉ ብ“ውያን” ከም ዚውድእ ምግባሩ ግኑን እናኾነ ይኸይድ ኣሎ)።

“ኣይ” “ታይ” “ቶት” “ዋይ” “ዎት” ዚውሰኾ’ውን ኣሎ (እዚ ናይ ትግርኛ መሰረት ዝሓዘ ኢዩ)።

<u>ነጸላ</u>	<u>ብዝሒ</u>
ሓማሴን= ሓማሴናይ(ሓማሴናዊ)	ሓማሴኖት
ትግራይ= ትግራዋይ	ትግራዎት (ትግራወቶት)
ዓንሰባ= ዓንሰበታይ	ዓንሰበቶት

እዚ ኣብ ኣንስታይ ኪቕየር ከሎ “ዋይ” ወይ “ታይ” ናብ “ወይቲ” ወይ “ተይቲ” ይልወጥ።

<u>ንኣብ፦</u> ትግራዋይ=ትግራወተይቲ

ዓንሰበታይ=ዓንሰበተይቲ ወዘተ...

(ሰ) <u>ናይ ኣሃዝ ቅጽል፡</u>

<u>ተርታዊ</u>፡- ሓደ፡ ክልተ፡ ሰለስተ፡ ኣርባዕተ...

ቅጽል

መዓርጋዊ፡- ቀዳማይ፡ ካልኣይ፡ ሳልሳይ፡ ራብዓይ ...

እዚ ከምቲ ኣብ ክ.ስም ተዋሂቡ ዘሎ ክነሱ፡ ምስ ስም ጥራይ ኢዩ ዚዝውተር፥

ንኣብ:-ሓደ ሰብኣይ፡ ክልተ ነገራት፡ ሚእቲ ዓመት፡ ስሳ ዘመናት ወዘተ...

ቀዳማይ መልእኽቲ ጳውሎስ፡ ሳልሳይ መጠንቀቒ፡ መበል ሚእቲ ስምዕታ፡ መበል ሽሕ ዘመን...

(ረ) ናይ መኣዝን ቅጽል

ታሕተዋይ፡ ላዕለዋይ፡ ደቡባዊ፡ ሰሜናዊ

ንኣብ፥ላዕለዋይ ደርቢ፡ ሰሜናዊ ባሕሪ ....

(ሸ)መለከዒ ቅጽል፥ ዚበሃሉ ሲሶ፡ ርብዒ፡ ካዕበት፡ ንፍቂ፡ እንተላም፡ ያሒት፡ ድርብ፡ ሓደ ኣፍ፡ ሓደ ኢድ፡ ዕጽፊ፡ ፍርቂ፡ ዕስሪት፡ መሰለስ፡ ዕማኾ፡ ጭብጦ፡ መለሊኽ፡ ገረወኛ፡ ርብዒት፡ ሕፍንቲ፡ ወዘተ ኢዮም።

እዚ ኣብ ላዕሊ ተጠቒሱ ዘሎ ቃላት ከም ክ.ስም ኮይኑ'ውን የገልግል ኢዩ። ማለት ንበይኑ ኪዝውተር ከሎ ክ.ስም፡ ምስ ስም ኪኣቱ ከሎ ከኣ ቅጽል ይኸውን። ከም ቅጽል ኮይኑ ኪኣቱ ከሎ፥ ዕማኾ ሓርጭ፡ ገረወኛ (ገረወይና) ጠስሚ፡ ድርብ ጭቆና፥ ርብዒ ኪሎ ወዘተ...

ከም ክንድስም ኮይኑ ኪኣቱ ከሎ፥ ሓደ ሲሶ ጠፊኡ፡ ርብዒ ኣትርፊሉ፡ ዕሽርካ ናብ ቤተክርስትያን ኣምጽኣዮ፡ ሓደ ኢድ ንዓኻ፡ ክልተ ኢድ ንኣይ ....

(ቀ) ኣመልካቲ ቅጽል፥ ንሓደ ነገር ወይ ኵነታት ንምንጻር ዘመልክት ቃላት ኢዩ።

ንኣብ፥እዚ	እቲ	እዚኣቶም	እቲኣቶም
እዚኣ	እቲኣ	እዚኣን እቲኣተን	እዚኦም እቲኦም
እዞም	እቶም	እዘን	እተን

መብዛሕትኡ ጊዜ እዞም ኣብ ላዕሊ ተዘርዚሮም ዘለዉ ቃላት፡ ከም ቅጽል ኮይኖም ኪዝውተሩ ከለዉ ድርብ መመልከቲ ይብሃሉ፡ ማለት ኣብ ቅድሚ ስምን ድሕሪኡን ይኣትዉ።

ንኣብ፥ እዚ ሰብ'ዚ። እቲ ሕጻን'ቲ። እዞም ጎይታ'ዚኦም ሕያዋይ ኢዮም። እዘን ሰበይ'ዚኣን ለባም ኢየን።

ቅጽል

እተን ኣሓ'ቲአን ናትና ኢየን...
ከም ክ.ስም ኮይኖም ከገልግሉ ከለዉ ግን ንጽል መመልከቲ ኢዮም ዚብሃሉ።

ንኣብ፥ እቲኣ ጽልልቲ ኢያ። እዚኣቶም ኣይረብሑን ኢዮም።

(በ) ናይ ዋንነት ቅጽል

ምስ ስም ዚዝውተሩ ዋንነት ዘመልክቱ ቃላት ወይ ድሕረ-ቃላት ኢዮም። ንሳቶም ከኣ እዞም ዚስዕቡ ኢዮም።

ኣይ: ካ: ኪ: ኡ: ኣ: ና: ኩም: ክን: ኦም: ኣን።

ንኣብ፥ መጽሓፍ+ ኣይ =መጽሓፈይ
መጽሓፍኩም: መጽሓፍካ: መጽሓፍክን
መጽሓፍኪ: (መጽሓፍ+ኦም) =መጽሓፎም
(መጽሓፍ+ኡ)=መጽሓፉ: (መጽሓፍ+ኣን)=መጽሓፈን
(መጽሓፍ+ ኣ)=መጽሓፉ: መጽሓፍና ...

(ተ) ናይ ሕቶ ቅጽል ምስ ስም ዚኣቱ ቅጽል ዝሓዘ ናይ ሕቶ መበገሲ ኢዩ።

ኣየናይ: እንታይ: እንታዋይ: ክንደይ ወዘተ...

ንኣብ፥ ኣየናይ መገዲ ንውሰድ፧ እንታይ መዓልቲ ኢና ዘሎና፧ ክንደይ ደቂ ኣለዉኻ፧

(ነ) ዘይውሱን ቅጽል ወሲኖም ዘይገልጹ ቅጽላት ኢዮም።
ቅሩብ: ብዙሕ ውሑድ: ማንም: ነፍስወከፍ: ኩሉ ወላሓደ: ካልእ ወዘተ...

ንኣብ፥ ማንም ሰብ ከይኣቱ። ነፍስወከፍ ተመሃራይ። ካልእ መዓልቲ። ወዘተ...

(አ) ኣዛማዲ ቅጽል ንኽልተ ሓሳባት ዘዛምድ ቅጽል ኢዩ።
...ከም... እት... ከም... ዝ: ወዘተ...

ንኣብ፥ 1. ንስኻ ትመጽእ 2. እቲ መዓልቲ ንገረና
= ንስኻ ኣየናይ መዓልቲ ከም እትመጽእ ንገረና
1. ኣነ ኣይፈለጥኩን 2. ሰባት ኣለዉ

ቅጽል

= ኣነ ክንደይ ሰባት ክም ዘለዉ ኣይፈለጥኩን

> **ተወሳኺ፥** ካብ ግሲ እተወስዱ ቅጽላት (ሳልስ ቅጽል ወይ ቅጽላዊ ስም)
>
> | ግስ= | ቅጽል | (ኣንስታይ) |
> |---|---|---|
> | ባረኸ= | ባራኻይ: ባራኺ | (ባራኺት) |
> | ቀተለ= | ቀታላይ: ቀታሊ | (ቀታሊት) |
> | ሰሓበ= | ሰሓባይ: ሰሓቢ | (ሰሓቢት) |
> | ጸሓፈ= | ጸሓፋይ: ጸሓፊ | (ጸሓፊት) |
>
> ነቲ ቅጽል ናብ ኣንስታይ ንምልዋጥ ነቲ ተባዕታይ ቅጽል "ት" ፊደል ክንውስኸሉ ይግባእ።
>
> ዝበዝሕ ጊዜ ነቲ ናይ ተባዕታይ ቅጽል መወዳእታ ኣብ ክንዲ ሳልስ: ራብዕ ጌርና "ይ" ንውስኸሉ ኢና።
>
> ባራኺ= ባራኻይ
>
> ቀታሊ= ቀታላይ
>
> ሰሓቢ= ሰሓባይ
>
> ጸሓፊ= ጸሓፋይ
>
> ኣስተውዕል፥ ጸሓፋይ ነቲ ንግዜኡ እናጸሓፈ ዘገግል ሰብ ወይ መሳርሒ ይወሃብ
>
> ጸሓፊ ግን ነቲ ክም ሞያ ገይሩ ዚጽሕፍ ዚወሃብ ቃል ኢዩ።
>
> ንኣብ፥ ኣብራሃ ጸሓፊ ኢዩ (ኣብ ቤት ጽሕፈት ይሰርሕ)።
>
> ሰለሙን ጸሓፋይ ኢዩ (ምጽሓፍ ይፈቱ)

ናይ ቅጽላዊ ስም እተፈላለየ ባህርያት

ኣብ ትግርኛ ሓደ ካብ ግሲ እተወስደ ቅጽል: ክልተ ወይ ከኣ ሓሓሊፉ ሰለስተ መልክዕ ኪህልዎ ይኽእል።

143		1446		1(6)34
ጸራቢ	=	ጸራባይ	=	(የለን)
በላዒ	=	በላዓይ	=	(የለን)

ቅጽል

መንጣሊ = መንጣላይ = መንጢላ

ጐማዲ = ጐማዳይ = ጐሚዳ

ወሓጢ = ወሓጣይ = ውሒጣ

ዓጻዲ = ዓጻዳይ = ዓጺዳ

<u>ንኣብ</u>፥ ቀስ ኢልካ ብላዕ መንጢላ። ሃርጐምጐም ኣይትበል ውሒጣ።

<u>መጠንቀቒ</u>፥

ናይዞም ኣብ ላዕሊ ተጠቒሶም ዘለዉ ቅጽላዊ ስማት ኣረባብሓ ንመልከት።

<u>ንጽል</u>	<u>ብዙሕ</u>	<u>ንጽል</u>	<u>ብዙሕ</u>
ጸራቢ	ጸረብቲ	ጸራባይ	ጸራቦ
በላዒ	በላዕቲ	ዓጻዳይ	ዓጻዶ

<u>ቅርጽታት ቅጽል</u>

ኣብ ትግርኛ ሾብዓተ ቅርጽታት ቅጽልን ስማዊ ቅጽልን ኣለዉና፡ ካባታቶም ክንወጽእ ከኣ ኣይንኽእልን።

(1) 6.2.6= ጽቡቕ፡ ጥሙር፡ ፍጹም፡ ምሉእ
(2) 6 626= ድልዱል፡ ጽንቡር፡ ቅርጡው
ህንጡው፡ ሕልኩስ
(3) 136= ነዊሕ፡ በሊሕ፡ ቀዩሕ፡
(4) 646= ጽማቝ፡ ቅዳሕ፡ ሕማቕ፡ ቅላዕ፡ ብላዕ
(5) 6646= ሕርሓር፡ ቅንጣብ፡ ሕንኳኹ
(6) 146= ጸማም፡ በራሕ፡ ከፋት፡ ገታር
(7) 4646= ሃብታም፡ ሃርጓም፡ ማዕጓር
(8) 1646= ገልዳም፡ ጀልጋድ
(9) 143= ቀታሊ
(10) 134= ዓጺዳ
(11) 1634= መንጢላ
(12) 1446= ጸራባይ
(13) 4643= ሓምባሲ
(14) 4143= ኣገዳሲ
(15) 634= ፍሒራ
(15) 41443= ኣሰናዳኢ

ቅጽል

ሰራሕን መሳርሕን ቅጽል

ሰራሕን መሳርሕን ቅጽላዊ ስም፡ ከም ሰራሒ ብ "ኣ" ኪጅምር ከሎ፡ ከም መሳርሒ ከኣ ብ "መ" ይጅምር።

ንኣብ፥ ሰራሒ= ኣገልጋሊ፡ መስርሒ= መገልገሊ

መብዛሕትኡ ግዜ እቲ ብ"ኣ" ዚጅምር ንሰብ፡ እቲ ብ"መ" ዚጅምር ድማ ንኣቕሓ ኢዩ ዚውሃብ።

ንኣብ፥ ኣብርሃም ኣገልጋሊ ኢዩ። ኣሕጻቢ ምኳን ኣይትጽላእ። እቲ መስሓሊ ኣበይ ኣሎ። መግሓጢ ኣምጽእ*

ናይ ቅጽል ምንጽጻር

ንኽልተ ወይ ሰለስተ ነገራት ንምንጽጻር ብሰለስተ እተፈላለየ መገዲ ሓሳባትና ክንምስርት ንኽእል።

1ይ ማዕርነት ንምግላጽ
2ይ ብልጸት "
3ይ ጸብለልታ "
4ይ ዓብላልነት "

1ይ፥ ማዕርነት ንምግላጽ፡ 'ከም' ዚብል ቃል ነዘውትር።

- ሰሎሞን ከም ኣንበሳ ሓያል ኢዩ
- ጕራሓት ከም ተመን ገርህታት ከም ርግቢት ኩኑ
- ጨካን ከም ሞት

2ይ፥ ብልጸት ንምግላጽ እቲ መደባዊ ቅጽል ኣይዝውተርን። ኣብ ቋንቋ ትግርኛ ብቕጽል ጌርካ ምንጽጻርን ምውድዳርን ምብልላጽን ዘይከኣል ስለ ዝኾነ፡ ሽሕ'ኳ ኣብቲ ኣርእስቲ ናይ ቅጽል ምንጽጻር ኢልናዮ እንተ'ሎና፡ ብሓቂ ኣዘራርባ ግን ናይ ግሲ ምንጽጻር ኢዩ።

እምበኣር ብልጸትን፡ ጸብለልታን፡ ንምግላጽ እቲ እነዘውትሮ ቃል ካብ ቅጽል ዝወጸ ናይ ህሉው ግሲ ይኸውን።

* ሓድሓደ ግዜ ግን ንሰብ'ውን ብ"መ" ዚጅምር ቅጽላዊ ስም ንህቦ ኢና። ንኣብ፥ መላገጺ፡ መታለሊ...

ቅጽል

<u>ንኣብ</u>፥ ኣነ ካብ ዮናስ <u>እህብትም</u> (ካብ ግሲ ሃብተመ)
ንሱ ካባይ <u>ይደኪ</u> (ካብ ግሲ ደኸየ)

<u>መዘኻኸሪ</u>፥ 'ናይ ቅጽል ምንጽጻር' ምእንቲ ኪበሃል እቲ ናይ ህሉው ግሲ ቀጥ ኢሉ ካብ ቅጽል ዝወጸ ኪኸውንይግባእ።

<u>ንኣብ</u>፥ ጽቡቕ= እጽብቕ ፡ ትጽብቕ፡ ንጽብቕ...
ክፉእ = እኸፍእ ፡ ትኸፍእ ፡ ንኸፍእ...
ጨካን= እጭክን ፡ ትጭክን ፡ ንጭክን...
ነዊሕ= እነውሕ ፡ ትነውሕ ፡ ንነውሕ...

<u>ኣስተውዕል</u>፥ እቲ ህሉው ግሲ ካብ መደባዊ ግሲ እተወስደ እንተደኣ ኮይኑ ግን: ከደናግር ይኽእል ኢዩ።

<u>ንኣብ</u>፥ "ኣነ ካብኡ እጕዪ" ክንብል ከሎና ንኣኡ ብምፍራሕ ካብኡ እሃድም ኪመስል ስለ ዚኽእል: "ኣነ ካብኡ ብዝያዳ እጕዪ" ምባል ይምረጽ።

3ይ፥ <u>ጸብለልታ</u> ንምግላጽ እቲ ሕጊ ልክዕ ከምቲ ኣብ 'ብልጸት' ዘዘውተርናዮ ኪኸውን ከሎ: እንውስኾ ቃላት ኣሎ። እዘን ቃላት እዚኣተን ናይ ጸብለልታ ተውሳከግሳት ኢየን። ።

ንሳተን ከኣ፥ <u>ንላዕሊ</u>: <u>ኣዚዩ</u>: <u>ብዘይ መጠን</u>: <u>ኣጸቢቑ</u>: <u>ብዝያዳ</u>: <u>ኣብሊጹ</u>: <u>ኣዓርዩ</u>: ወዘተ... ዚብላ ኢየን።

ቅጽል	**ግሲ**	**ብልጸት**	**ጸብለልታ**
ጽቡቕ	ኣነ እጽብቕ	ኣነ ካብኡ እጽብቕ	ኣነ ካብኡ ኣዚየ እጽብቕ
ነዊሕ	ንሕና ንነውሕ	ንሕና ካብኣ ንነውሕ	ንሕና ካብኣ ኣብሊጽና ንነውሕ
ጸሊም	ንስኻ ትጽልም	ንስኻ ካባይ ትጽልም	ንስኻ ካባይ ኣዓሪኻ ትጽልም

ቅጽል

> **አስተውዕል**፥ ናይ ጸብለልታ ተውሳከግሳት
> ይረብሓ ኢየን፥ አዚየ፡ አዚያ: አዚዩ...
> አጸቢቑ :አጸቢቑ :ወዘተ...

4ይ፥ ዓብላሊ ቅጽል ንምምስራት ነቲ ካብ ቅጽል ዚወጽእ ግሲ ናብ ቅዱም ለዊጥና "ዝ"ዚብል ፊደል ኣብ ቅድሚኡ ንገብረሉ።

ቅጽል	ግሲ		
ጽቡቕ =	ዝጸበቐ	ዝጸበቕኩ	ዝጸበቕካ ወዘተ...
ነዊሕ =	ዝነውሐ	ዝነዋሕኩ	ዝነዋሕካ...
ቀጢን =	ዝቐጠነ	ዝቐጠንኩ	ዝቐጠንካ...

ዓብላሊ ቅጽል ነቲ ምስ ኩሉ ነገር ተነጻጺሩ ዓብላልነት ዝረኸበ ነገር ዘመልክት ስለ ዝኾነ ካብ ኩሉ ኣብ ምሉእ ዓለም ኣብ ኩላ ምድሪ ወዘተ ዚብሉ ቃላት መካይድቱ ኢዮም።

ንኣብ፥ኣነ ካብ ኩሉ ዝጸበቕኩ ሰብ እየ።

ንሱ ኣብ ምሉእ ዓለም እተፈልጠ ሰብ ኢዩ።

ንሳ ኣብታ ክፍሊ ዝነፍዐት ተመሃሪት ኢያ።

እንተኾነ ግን ምስ ዓብላሊ ቅጽል "እቲ ኣዚዩ" ዚብል ናይ ጸብለልታ ቅጽል ምዝውታር ጌጋ ኣይኮነን።

- ኣነ ካብ ኩሉ እቲ ኣዚዩ ዝጸበቐ ሰብ እየ።
- ንሱ ኣብ ምሉእ ዓለም እቲ ኣዚዩ እተፈልጠ ሰብ ኢዩ።
- ንሳ ኣብታ ክፍሊ እታ ኣዚያ ዝነፍዐት ተመሃሪት ኢያ። ወይ ከኣ
- ኣብታ ክፍሊ እታ ኣዚያ ዝነፍዐት ተመሃሪት ንሳ ኢያ።

ብሳድሳዊ ቃል ምንጽጻር

ሳድስ ቃል ዚብሃል: ምስ 'በለ' ዚዝውተር ዓይነት ግሲ ኢዩ።

ቅጽል	ሳድስ ቃል (ግስ ደላዩ)
ጽቡቕ	ጽብቕ
ነዊሕ	ንውሕ

ተውሳከግስ

ቀጢን	ቅጥን
ረጕድ	ርጕድ
ሓጺር	ሕጽር

<u>ሳድስ ቃል</u> ኣብ ናይ ምንጽጻር ስራሕ ኪሳተፍ ከሎ 'ዝ' 'በለ' ዚብል ቃላት የኸትል።

<u>ንኣብ</u>፥ ንሱ ካባይ <u>ሕጽር</u> <u>ዝ</u>በለ ኢዩ
ንሱ ካባይ ቅሩብ <u>ርጕድ</u> <u>ዝ</u>በለ ኢዩ
ንሕና ካባኻትኩም <u>ንውሕ</u> <u>ዝ</u>በልና ኢና

ከምኡ'ውን ምስ ናይ "በለ" ረባሕታ <u>ቅሩብ</u>: <u>ዳርጋ</u>: <u>ብመጠኑ</u> ዚብላ ቃላት ኣኸቲልና ንጥቀመሉ።

<u>ንኣብ</u>፥ ንሱ ካባይ ዳርጋ <u>ጽብቕ</u> ይብል
ንሳ ካባይ ቅሩብ <u>ስንፍ</u> ትብል

ተውሳከግስ

ተውሳከግስ: ንግስን ንቕጽልን: ንኻልእ ተውሳከግስን: ዚውስን ክፍሊ ሰዋስው ኢዩ።

እዚ ክፍሊ ሰዋስው'ዚ ነቲ <u>ከመይ ኢሉ</u>፧ <u>በየናይ መገዲ</u>፧ <u>መኣስ</u>፧ <u>ብኸመይ</u>፧ <u>ብምንታይ ምኽንያት</u>፧ <u>ኣበይ</u>፧ ወዘተ እናበለ ዚቐርብ ሕቶ መልሲ ይህበሉ።

ኣብ ቋንቋ ትግርኛ 7 ዓይነት ተውሳከግስ ኣሎ።

(ሀ) ናይ ግዜ ተውሳከግስ
(ለ) ናይ ቦታ ተውሳከግስ
(ሐ) ናይ ኣገባብ ተውሳከግስ
(መ) ናይ ዓቐን ተውሳከግስ
(ሰ) ናይ ምኽንያት ተውሳከግስ
(ረ) ኣፍራሲ ተውሳከግስ
(ሸ) ናይ ሕቶ ተውሳከግስ

ሀ) <u>ናይ ጊዜ ተውሳከግስ</u> ነቲ መኣስ፧ በየናይ ጊዜ፧ እናበለ

ተውሳከግስ

ዚቖርብ ሕቶ ይምልሽ። ሎሚ: ትማሊ: ጽንሕ ኢሉ: ደንጐዩ: ቀሪቡ: ሽዓ: ኣሻቡኡ...

ንኣብ፥ ትማሊ መጺኡ። ሽዓ መጺኡ። ደንጐዩ ዝመጸ ዜና።

ለ) ናይ ቦታ ተውሳከግስ ነቲ: ኣበይ ቦታ፤ ኣበየናይ፤ በየናይ ወዘተ... እናበለ ዚቖርብ ሕቶታት ይምልሽ።

ኣብዚ: ኣብቲ: ናብዚ: በዚ: በቲ: ናብ ኩሉ: ኣብ ኩሉ: ኣብ ፈቖዳኡ: ኣበየ ቦታኡ: ....

ንኣብ:- ኣብቲ ኺድ። ኣብ ፈቖዳኡ ተዘርጊሑ ኣሎ። በቦታኡ ኣትሕዞ። ናብዚ ምጻእ። ....

ሐ) ናይ ኣገባብ ተውሳከግስ ነቲ ከመይ ገይሩ፤ ከመይ ኢሉ፤ ብኸመይ መገዲ፤ ዚብል ሕቶታት መልሲ ይህበሉ።

ብሓይሊ: ብሰላም: ብህድኣት: ብርግጽ: ብጥበብ: ብሜላ: ብብልሓት: ብጭከና: ብነድሪ ወዘተ...

ኣብዚ ጊዜ'ዚ ክልተ መገድታት ንጥቀም።

1. ነቲ ናይ ረቂቕ ስም "ብ" ዚብል ፊደል ብምውሳኽ
2. ንገሊኣቶም ቃላት ናይ "በሃለ" ረባሕታ ብምውሳኽ

ንኣብ፥ ቀስ ኢሉ ከደ። ብህድኣት ተዛረበ። ብሰላም ዓረፈ። እቲ ንጉስ ብጭከና ገዝአ። ንሳ ብነድሪ ተበኣሰቶ። ርግእ ኢልካ ዕየ ወዘተ....

መ) ናይ ዓቐን ተውሳከግስ ንቕጽል: ንግሲ ወይ ከኣ ንካልእ ተውሳከግስ ዚውስን ቃል ኢዩ።

ኣዚዩ: ብዘይመጠን: ብፍጹም: ብጭራሽ ...

ንኣብ፥ ኢዮብ ብዘይ መጠን ሓያል ኢዩ። ንሱ ኣዚዩ ርጉም ነበረ። ብጭራሽ ኣይረአኹዎን። ምሒር ሓሪቑ ነበረ...

ሰ) ናይ ምኽንያት ተውሳከግስ ምኽንያት ወይ ጠንቂ ዚገልጽ

ተውሳከግስ

ክፍሊ ሰዋስው ኢዩ። ስለዚ: በዚ ምኽንያት'ዚ: በዚ እተላዕለ: መጠረስታኡ: በዚ ሳዕቤን'ዚ...

ንኣብ:- ንሱ ብሰርና ሞተ። በዚ እተላዕለ ተቓተሉ። መጠረስታኡ ፍትሕ ኮነ።

ረ) **ኣፍራሲ ተውሳከግስ** ንሓደ ውሁብ ሓሳባት ዘፍርስ ቃል ኢዩ።

ደኣ: ግን: እንተኾነ ግን: ኣይ...ን: ዘይ: ከይ: ነይ: ይትረፍ'ዶ፡ ያእ: ቶባ: ሽሕ'ኳ: ኣይፋልን: ኣበደን ...

ንኣብ:- ግርማይ ሃብታም ኢዩ እንተኾነ (ግን) በቃቕ ኢዩ። ሽሕ'ኳ ሰላም እንተ ሰፈነ ቅሳነት የሎን...።

ሸ) **ናይ ሕቶ ተውሳከግስ** ሕቶ ዘቕርብ ክፍሊ ሰዋስው ኢዩ።

ከመይ: ስለምንታይ: መዓስ: በየናይ መገዲ ...

ንኣብ፥ መኣስ መጺእካ፧ ብኸመይ መገዲ ሰሪሕካዮ፧ ስለምንታይ ሞኸ ተብለና ኣሎኻ፧

ቀ) **ናይ ደረጃ ተውሳከግስ** ነቲ ብኸመይ ኢሉ፧ በየናይ መገዲ፧ እናበለ ዚሓትት ናይ ኣገባብ ተውሳከግስ ብደረጃ መገዲ ይምልሸሉ።እዚ ኸኣ ብቐዳማይ ካልኣይ ሳልሳይ ደረጃታት ይግለጽ።

ንኣብ፥ ብኸመይ መገዲ ተዋገአ፧

1. ብትብዓት ተዋገአ
2. ብኣዚዩ ትብዓት ዝመልአ መገዲ ተዋገአ

ከመይ ኢሉ ወጸ፧

1. ቀስ ኢሉ ወጸ
2. ብዘይ መጠን ቀስ ኢሉ ወጸ

ከመይ ኢሉ ተዛረበ፧

1. ህድእ ኢሉ ተዛረበ
2. ኣዚዩ ህድእ ኢሉ ተዛረበ። ከምኡ'ውን ብኣዚዩ ዝዓበየ ትብዓት ተዋገአ።ብኣዚዩ እተራቐቐ መገዲ ተዛረበ...ብምባል 3ይ ደረጃ ክንውስኽ ንኽእል ኢና።

--Rochester Public Library--
First Hour Free Parking
In The Ramps

Item ID: 0101808959205
Title: Concise Amharic dictionary : Amhari
c-English, Eng
Date due: July 19, 2010 11:59 PM

Item ID: 0101808604793
Title: Sewasiw Tigrinya b'isefihu = A comp
rehensive Tigr
Date due: July 19, 2010 11:59 PM

Item ID: 0101807671942
Title: Where the action is : an easy ESL a
pproach to pur
Date due: July 19, 2010 11:59 PM

o Renew, call 328-2311 or
nline at
ww.rochesterpubliclibrary.org

Item ID: 01018089595205
Title: Concise Amharic dictionary : Amharic-English, Eng
Date due: July 19, 2010 11:59 PM

Item ID: 01018080804793
Title: Sewasiw Tigrinya b'sefiha = A comp rehensive Tigr
Date due: July 19, 2010 11:59 PM

Item ID: 01018087871942
Title: Where the action is : an easy ESL approach to pur
Date due: July 19, 2010 11:59 PM

To Renew, call 328-2311 or ...line at
...w.rochesterpubliclibrary.org

መስተጻምር

ንቓላትን ምሉእ ሓሳባትን ዘተኣሳስር ክፍሊ ሰዋስዉ ኢዩ። ን...ን: ስለዚ: እሞ: ከኣ: ድማ፣ እምበኣር: ድሓር: ሽዑ ምናልባት: ግን: ይትረፍ'ዶ ...

ንኣብ፥ ብርሃነን ግርማይን ኣሕዋት ኢዮም
- እቲ ክዳን ሕሱር ኢዩ ስለዚ ኣይትግዝኣዮ
- እቲ ኣንበሳ ከኣ ብቐጥዓ ገዓረ

ኣብ ቋንቋ ትግርኛ ሰለስተ ዓይነት መስተጻምር ኣሎ።

(ሀ) ምኽንያታዊ መስተጻምር
(ለ) መፍረሲ መስተጻምር
(ሐ) መነጻጸሪ መስተጻምር

ሀ. ምኽንያታዊ መስተጻምር፥ ስለ: ዝ: ዘ: ከመይሲ: ምእንቲ... ንኣብ፥ ምእንቲ ሰላም ብዙሓት ተሰዊኦም

ለ. መፍረሲ መስተጻምር፥ ሽሕኳ: እንተ: ዘይ: ከይ: ይኹን፣ ኣይኹን: እንተኾነ: ዝኾነኾይኑ: እንተዘይኮነ፣ ይኹን'ምበር

ንኣብ፥ ስተዮ: እንተዘይኮነ ክኽዕዎ እየ

1.ይኹን እምበር 2.ዝኾነ ኾይኑ 3.እንተ ኾነ 4.እንተ ዘይኮነ ከም ግሲ ከም ክልተ ቃላት ኪጸሓፉ ይግባእ።

1.ይኹንእምበር 2. ዝኾነኮይኑ 3. እንተኾነ 4.እንተዘይኮነ: ከም ከም መስተጻምር ከም ሓደ ቃል ይጸሓፉ።

ከም መስተጻምር፥ 1. ይኹንእምበር ኣይተሓጐስኩሉን 2. ዝኾነኮይኑ እቶ በሎ 3. እንተኾነ ኬድካ ብጽሓዮ 4. ውጻእ እንተዘይኮነ

መስተዋድድ

ክነግረልካ እየ።

ከም ግሲ፥ ኣብኡ ይኹን፡ እምበር ኣይተልዕሎ 2. እቲ ዝኾነ፡ ኮይኑ ኣሎ፡ ረስዓዮ 3. ምናልባሽ ንሱ እንተ ኾነ፡ ኣረጋግጽ 4. ፈትኖ እንተ ዘይኮነ ናባይ ግደፎ።

ሐ. መነጻጸሪ መስተጻምር፥ ካብ .... ንኣብ፥ ተስፋይ ካብ ግርማይ ይነውሕ

መስተዋድድ

ኣብ መንጎ ስምን ክንድስምን፡ ኣብ ምሉእሓሳባት ዚርከቡ ካልኦት ቃላትን፡ ዝምድና ዚገልጽ ወይ ከኣ ዘዛምድ ክፍሊ ሰዋስው ኢዩ።

ካብ፡ ቅድሚ፡ ኣብ ድሕሪ፡ ኣብ ትሕቲ፡ ምስ፡ ብ፡ ካብ፡ እንዳ፡ ከም፡ ኣብ መንጎ፡ ኣብ ማእከል፡ ን፡ ናብ፡ ምእንቲ፡ ስለ፡ ናይ...

ንኣብ፥- -እታ ድሙ ኣብ ልዕሊ እቲ ሰደቓ ኣላ

-ኣነ ኣብ ገዛይ ኣለኹ

-መስፍን ካብ ግብጺ መጺኡ

-ኣብረሀት እንዳ መብራት ከይዳ

-ነቲ ሰራቒ ብኻራ ወጊኡዎ

-እቲ ሕጻን ምሳኹም(ምስ + ኣኹም)ኪኸይድ ደልዩ

-ከማይ (ከም+ኣይ) ክትኮኑ ጸዓሩ

-ናብኡ ንጸጋዕ'ሞ ኪርህወና ኢዩ

-ናይ ሰሎሞን ማኪና ሰሪቖምዋ

ቃለ ኣጋንኖ

ምግራምን ምድናቕን ምፍራህን፡ ብሓጺሩ ብርቱዕ ስምዒታት ዚገልጽ ክፍሊ ሰዋስው ኢዩ። እተፈላለየ ስምዒታት

ቃለ ኣጋንኖ

ኪገልጽ ከሎ ንመልከት።

<u>ፍርሂ</u>= ወይ ኣነ: ጠፋእኩ: እዝጊዮ: ኣቤት: ኡይ

<u>ነድሪ</u>= ኣኽ: ኣህ: ዋይ

<u>ጓሂ</u>= እህህ: ኣየ: ክላ: ቶባ

<u>ሓጐስ</u>= እሰይ: ግሩም: ድንቂ: እልል: ኣየ'ወ

<u>ዓቕሊ ጽበት</u>= ኡፍ: እንታይ'የ ዝገብሮ...

<u>ንኣብ፥</u> ወይለና! ኣበይ ኢና እንጠፍእ

ኣኽ! ሕጂ እንተ ዝረኽቦ

ክላ! ካን'ዶ ንብላሽ ጠፍአ

ኣሰይ! ገንዘበይ ተረኺቡ

ኡፍ! እንቋዕ ተወድአ

ግጥመ ቃላትን እተፈላለየ ትንተናን

2ይ ምዕራፍ

ኣብ ቋንቋ ትግርኛ <u>በዓልቤት</u>: <u>ተሰሓቢ</u>: <u>ግሲ</u> ዚብሃሉ ናይ ምሉእ ሓሳብ ክፍልታት ኣለዉና።

<u>ንኣብ</u>፥ ኣነ ናብ ቤት ትምህርቲ እኸይድ (ምሉእ ሓሳብ)

ኣነ= ክ.ስም: በዓልቤት

ናብ= መስተዋድድ

ቤት ትምህርቲ= ስም: ናይ መስተዋድድ ተሰሓቢ

እኸይድ= ግሲ (ዘይሳገር): ናይ "ከየደ" ህሉው

<u>ሐበሬታ</u>

ኣብ ቋንቋ ትግርኛ ዝበዝሕ ጊዜ ብዘይ መስተዋድድ ኪጸሓፍን ኪዝረብን ይከኣል ኢዩ እንተኾነ ግን እቶም ኪሕደጉ ዚኽእሉ መስተዋድድ እተወሰኑ ኢዮም

<u>ንኣብ</u>፥ ንሳ <u>ኣብ</u> ገዝኣ ኣላ = ንሳ ገዝኣ ኣላ

ንሱ <u>ን</u>ዓዱ ከይዱ = ንሱ ዓዱ ከይዱ

<u>ናይ</u> ከተማ ነበርቲ = ነበርቲ ከተማ

<u>ናይ</u> ኤርትራ ኣፍላጋት = ኣፍላጋት ኤርትራ

<u>ኣሰራርዓ ቃላት: ኣብ ቋንቋ ትግርኛ</u>

ኣብ ሓደ ም.ሓሳብ ዚርከቡ ቃላት ኣሰራርዓኦም ከምዚ ዚስዕብ ኢዩ።

	<u>በዓልቤት</u>	<u>ተሰሓቢ</u>	<u>ግሲ</u>
<u>ንኣብ</u>፥	ግርማይ	ርግቢት	ሒዙ

እዚ መስርዕ'ዚ ኩሉ ጊዜ ኪሕሎ ኣለዎ። እንተኾነ ግን እቲ ተሰሓቢ ሰብ እንተደኣ ኮይኑ: "ን" ዚብል መስተዋድድ ኣብ ቅድመኡ ኪመጽእ ግድን ኢዩ።

ትንተና

ንኣብነ፦

ግርማይ ንሰሎሙን ሰዒሩ

"ሰሎሙን" ተሰሓቢ እኳ እንተኾነ "ንሰሎሙን" ኪብሃል ከሎ ንሰሎሙን ኢሉ ወይ ምእንቲ ሰሎሙን ኢሉ ኪመስል ስለ ዚኽእል እቲ ተሰሓቢ ን ዚብል ድሕረቃል የድልዮ።

ግንከ "ን" ኣብ እነእትወሉ ጊዜ ካልእ ናይ ክንድስም ተሰሓቢ'ውን ኣድላዪ ኢዩ።

ኣብዚ: እቲ ካልእ ናይ ክንድስም ተሰሓቢ ዎ ኢዩ።

ስለዚ ግርማይ ንሰሎሙን ሰዒሩዎ ምባል ይግባእ።

እቲ ተሳሓቢ: ክንድስም እንተድኣ ኮይኑ ግን: እቲ በዓልቤት/ ተሰሓቢ/ ግሲ" ዚብል ኣሰራርዓ: ፈራሲ ኢዩ። ኣብ ክንድኡ ድማ በዓልቤት-ተሰሓቢ-ግሲ-ተሰሓቢ ወይ በዓልቤት /ግሲ/ ተሰሓቢ/ ይኸውን።

ንኣብነ፦ ኣነ ንኣቦይ መሪጸዮ

ኣነ=በዓልቤት: ንኣቦይ=ተሰሓቢ መሪጸ=ግሲ: ዮ= ተሰሓቢ ክንድስም

መጠንቀቒ፦ ኣብቲ ብልማድ እክለ ንዓዱ ከይዱ እናበልና እንዛረቦን እንጽሕፎን ምሉእሓሳብ "ን" ከም "ናብ" ኢዩ ተወሲዱ ዘሎ።

ዳግማይ ተሰሓቢ፦ ኣብ ሓደ ምሉእሓሳብ ክልተ ተሰሓ ብቲ'ውን ክንረክብ ንኽእል ኢና

ገብራይ ንሓውቱ መጽሓፍ ሂቡዋ

ገብራይ= በዓልቤት: ስም

ን = መስተዋድድ

ትንተና

ሓውቱ = ዳግማይ ተሰሓቢ

መጽሓፍ = ቀጥታዊ ተሰሓቢ

ሂቡ = ግሲ: ሕሉፍ

ዋ = ተሰሓቢ ክንድስም (ደቂቕ ክ.ስም)

ኣብዚ ምሉእሓሳብ'ዚ: ነቲ ኣብ ቋንቋ ኤውሮጳ ዚዝውተር ሰዋስው ብምኽታል ነቲ ህይወት ዘለዎ: ዳግማይ ተሰሓቢ: ነቲ ህይወት ዘይብሉ ኸኣ ቀጥታዊ ተሰሓቢ ኢልናዮ ኣሎና።

ቀጥታውን ዘይቀጥታውን ኣበሃህላ

ኣብ ትግርኛ ቀጥታውን ዘይቀጥታውን ኣዘራርባ ኣሎ። ትኽ ዝበለ ዘረባ ነቲ ካብ ኣፍ ሰብ ዚወጽእ ሓሳባት ብቐጥታ ዘቕርቦ ኪኸውን ከሎ: ትኽ ዘይበለ ዘረባ ግን ነቲ ካብ ኣፍ ሰብ ዚወጽእ ዘረባ ከም እተባህለ ኣምሲሉ ኣዛዊሩ ዘቕርብ ም.ሓሳብ ኢዩ። ስለዚ ኣብቲ ቀጥታዊ ዘረባ ምልክት ጥቕሲ “ ” ከድሊ ከሎ: ኣብቲ ዘይቀጥታዊ ዘረባ ግን ምልክት ጥቕሲ ኣየድልን።

ቀጥታዊ ዘረባ

(ሀ) ኣቦይ “ኣጆኻ” ኢሉኒ

(ለ) ኣደይ “ኣበይ ጸኒሕካ፧” ኢላ ሓቲታትኒ

(ሐ) መምህርና “ገዛውትኹም ኪዱ” ኢሎምና

ዘይቀጥታዊ ዘረባ

(ሀ) ኣቦይ ኣተባቢዑኒ

(ለ) ኣደይ ኣበይ ከም ዝጸናሕኩ ንምፍላጥ ሓቲታትኒ (ተወኪሳትኒ)

(ሐ) መምህርና ገዛውትና ንኸንከይድ ኣዚዞምና

ኣብ ክንዲ መስተዋድድ ዚኣትው ድሕረ-ቃላት

ኣብ ክንዲ÷ንኣይ: ንኣኻ: ወዘተ... ናባይ: ናባኻ ወዘተ... ኣብ ልዕለይ:ኣብ ልዕሌኻ ወዘተ...ኣባይ:ኣባኻ ወዘተ...ካባይ

ትንተና

<u>ካባኻ</u> ወዘተ... ዚኣትዉ ድሕረ-ቃላት ንመልከት፥

<u>በልዐ</u>

ንኣይ= በሊዑ<u>ለይ</u>

ንኣኻ= በሊዑ<u>ልካ</u>

<u>መጽአ</u>

ናባይ= ኣምጺኡ<u>ለይ</u>

ናባኻ= ኣምጺኡ<u>ልካ</u>

<u>ኣንበረ</u>

ኣብ ልዕለይ ወይ ንጥቕመይ= ኣንቢሩ<u>ለይ</u>

ኣብ ልዕለኻ ወይ ንጥቕመኻ= ኣንቢሩ<u>ልካ</u>

<u>ንኣብ፦</u> <u>ረኺቡኒ</u> ክንብል ከሎና <u>ንዓይ ረኺቡ</u> ማለት ኪኸውን ከሎ: <u>ረኺቡለይ</u> ግን: ንኣይ ዚጠቅም ገለ ነገር ረኺቡ ማለት ኢዩ።

ብዛዕባ ብዝሒ ብሰሪሑ

ኣብ ቋንቋ ትግርኛ እቲ ከም ብዝሒ ዚዝርዝር ቃል: ዝበዝሕ ጊዜ ምስቲ ኣመልካቲ ቅጽል ስምምዕ የብሉን።

<u>ንጽል</u>	<u>ብዝሒ</u>	<u>ኣመልካቲ ቅጽል</u>
<u>ንኣብ</u>፦እቲ መጽሓፍ=	መጻሕፍቲ =	<u>እቲ</u> መጻሕፍቲ
እቲ ኦም	= ኣእዋም =	<u>እቲ</u> ኣእዋም
እቲ እንስሳ	= እንስሳታት=	እቶም እንስሳታት
እታ ዕንባባ	= ዕንባባታት =	እተን ዕንባባታት
እቲ መከራ	= መከራታት=	<u>እቲ</u> መከራታት

<u>እንተኾነ ግን</u>: "እቶም መጻሕፍቲ" ምባል ቅኑዕ እኳ እንተ መሰለ "እቲ መጻሕፍቲ" ምባል ግን ዳርጋ ኣዚዩ ልሙድ ኢዩ። ከምኡ'ውን "እቶም ኣብቲ ዓዲ ዝወረዱ መከራታት" ካብ ምባል "እቲ ኣብቲ ዓዲ ዝወረደ መከራታት" ምባል ኣዚዩ

ልሙድ ኢዩ።

ምናዳ'ኳ እቲ ዚበዝሕ ዘሎ ቃል ተባዕታይ ምስ ዚኸውን: እቲ ኣመልካቲ ቅጽል ንጽል ኮይኑ እንተ ተረፈ ይበልጽ። ልሙድ'ውን ኢዩ።

ንኣብ፥ "መጽሓፍ" ከም ተባዕታይ ኪውሰድ ከሎ

1. ነቶም መጻሕፍቲ ኣምጽኣዮም (ዘይልሙድ)

"መጽሓፍ" ከም ኣንስታይ ኪውሰድ ከሎ

2. ነተን መጻሕፍቲ ኣምጽኣየን (ልሙድ)

ሽሕ'ኳ "እቲ መጽሓፍ" ክንብል ንኽእል እንተ ኾንና: "እቶም መጻሕፍቲ" ምባል ግን ዘይተለምደ ስለ ዝኾነ: ወይ

"እተን መጻሕፍቲ" ወይ ከኣ

"እቲ መጻሕፍቲ" ክንብል ንግደድ።

ስለዚ ንሓደ ዘይህይወታዊ ነገር ኣመልካቲ ቅጽል ክንገብረሉ ምስ እንደሊ: ጾታኡ ናብ ኣንስታይ ክንልውጦ ንግደድ።

ኣስተውዕል፥ ኣብ ትግርኛ ብዝሒ ዘይብሎም ቍጽሪ ኣብ ቅድመኦም ኣእቲኻ ጥራይ ዚበዝሑ ቃላት'ውን ኣለዉ።

1. ኣዚዮም ደቀቕቲ ዝኾኑ ፍጥረታት ከም እኒ፥ ጻጸ: ሳሬት: ቁንጪ: ትኻን: ቁርዲት... ንኣብ፥ ሽሕ ሳሬት
2. ነዋሕቲ ቃላት ወይ ብዙሕ ጥምረ- ድምጺ (ሲላብል) ዘለዎም ቃላት፡ ከም እኒ፥ ዕንቅርቢት: ምንጭሉቂት: ዓርኮብኮባይ... ንኣብ፥ ሰላሳ ዕንቅርቢት
3. ብኽልተ ወይ ካብኡ ዚበዝሕ ቃላት ዚቘሙ: ከም እኒ፥ኣባ ጐብየ: ኣባ-ጨጐራ: ደርሆ-ማይ: ኣፍ-ኩቱ: ሽውዓተ-ቀርኒ... ንኣብ፥ ሰለስተ ደርሆ ማይ
4. ካብ ፈረንጂ እተወርሱ ቃላት: ከም እኒ፥ብያቲ: ኣራንቺ: ባናና: ተለቪዥን:ራዲዮ...ንኣብ፥ሓሙሽተ ቢያቲ: ዕስራ ባናና: ብዙሕ ለሚን....

ብሓጺሩ ኣብ ቋንቋ ትግርኛ ናይ ኣሃዝ ወይ መለክዒ

ትንተና

ቅጽል እናኣእተኻ ሓደ ስም ብዘይ ብዝሒ ኪዝውተር'ውን ይከኣል ኢዩ።

ንኣብ፥ ኣርባዕተ ብዕራይ: ሰላሳ ራድዮ: ሰለስተ ምራኽ: መዓት ሰብ: ብዙሕ ተመሃራይ: ወዘተ....

ደጋምን ወጋንን ቅድመ-ጥብቆ

ደጋምን ወጋንን ቅድመ-ጥብቆ ነቲ ዚደጋገምን : ከምኡ'ውን ኪወጋገን ዘለዎ ተግባራትን ነገራትን ዚገልጽን ዘመልክትን ኢዩ።

እዚ ኣገባብ'ዚ ምስ መስተዋድድን ምስ ስምን: ምስ ሕሉፍ ግስን ይዝውተር። ነቲ መጀመሪያ ፊደል ናይቲ ቃል ብምድጋም ድማ ስርሑ የሳልጥ። እቲ ቅድመ-ጥብቆ ነፍስወከፍ ዚብል ትርጉም የስምዕ። ኩሉ ጊዜ ከኣ ግእዝ ፊደል ኢዩ።

ንኣብ፥ መዓልቲ =መመዓልቲ ገዛ = ገገዛ
ናብ = ንናብ ካብ = ከካብ
ሰሪሑ = ሰሰሪሑ በሊዑ = በበሊዑ
ቀጠልያ =ቀቀጠልያ እምኒ = ኣእምኒ

(ሀ) ምስ መስተጻምር ኪዝውተር ከሎ፥
ካብ = ከካብ

ንኣብ፥ ከካብ ገዛውትኹም ውጹ
ናብ = ንናብ

ንኣብ፥ ንናብ ዓድኹም ኪዱ
ናይ = ንናይ

ንኣብ፥ ንናይ ዋኒኖም ይዛረቡ ኣለዉ.

(ለ) ምስ ስም ኪዝውተር ከሎ፥
ቤት = በቤት

ንኣብ፥ ኣብ በቤትና ኣቲና

ክዳን = ክክዳን

ንኣብ፥ ክክዳንኩም እንተ ተኸደንኩም ይሓይሽ

መዓልቲ = መመዓልቲ

ንኣብ፥ ኣብ መመዓልቲ እናወጸ ዚሸየጥ ጋዜጣ (ኣብ መዓልቲ መዓልቲ:... ወይ ኣብ ነፍስ ወከፍ መዓልቲ)

(ሐ) ምስ ሕሉፍ ግሲ ኪዝውተር ከሎ፥ ናይ ቀጻሊ ምዝውታር ወይ ናይ ቀጻልነት ባህሪ የመልክት።

- ሰሪሑ = ሰሰሪሑ

ንኣብ፥ ሰሰሪሑ የብልዓ ኣሎ እንታይ ከፈኡዋ (እናሰርሐ...)

- በሊዕና = በበሊዕና

ንኣብ፥ በበሊዕና እንተ ዘይከፈልናዮ እንታይ ኪረብሕ ደኣ ኢዩ (እናበላዕና...)

- ጽሒፍኩም = ጸጽሒፍኩም

ንኣብ፥ ጸጽሒፍኩም እንተ ዘይከፈልኩም ድኣ እንታይ ኢዩ ረብሓይ (እናጸሓፍኩም...)

(መ) ምስ ቅጽል ኪዝውተር ከሎ፥ ናብ ሓደ ፍሉይ ነገር ንምትኳር ወይ ለሊኻ ንምፍላይ የገልግል።

- ቀጠልያ = ቀቀጠልያ

ንኣብ፥ ቀቀጠልያኡ ፋሕፍሓዮ

እምኒ = ኣእምኒ

ንኣብ፥ ኣእምኑ ኣልግሶ

"ዶ" ከም ሕቶኣዊ ድሕረ-ጥብቆ

"ዶ" ዚብል ናይ ሕቶ ቃል ብመገዲ ኣጠቓቕማኡ ናይቲ ሓሳባት ትርጉም ይልውጦ ኢዩ።

ንኣብ፥ ሰሎሙን ኣንበሳ ቀቲሉ።

1. ሰሎሙንዶ ኣንበሳ ቀቲሉ፧ (ዶ ምስ በዓልቤት)
2. ሰሎሙን ኣንበሳዶ ቀቲሉ፧ (ዶ ምስ ተሰሓቢ)
3. ሰሎሙን ኣንበሳ ቀቲሉዶ፧ (ዶ ምስ ግሲ)

ትንተና

ኪትርጐም ከሎ

ቍ.1. እቲ ቀታሊ ሰሎሙን ወይ ካልእ ሰብ ምኳኑን ዘይምኳኑን ንምርግጋጽ እንሓቶ ሕቶ ኢዩ።

ቍ.2.ሰሎሙን ኣንበሳ ወይ ካልእ እንስሳ ምቕታሉ ወይ ዘይምቕታሉ ንምርግጋጽ እንሓቶ ሕቶ ኢዩ።

ቍ.3. ብዛዕባ ሰሎሙን ንኣንበሳ ምቕታሉ ዘይምቕታሉ ከነረጋግጽ ምስ እንደሊ እንሓቶ ሕቶ ኢዩ።

ረቂቕ ስም ብሰፊሑ

ካብ ግሲ ዝፈልፈሉ ረቀቕቲ ስም

ንኣብ፡	ግሲ	ረቂቕ ስም
	ጐሃየ	ጓሂ
	ሓረቐ	ሕርቃን: ሓርቖት
	ሰሓቐ	ሰሓቕ
	ሃደነ	ሃድን
	ረኣየ	ራእይ: ርእይቶ:ምርኢት:ትርኢት
	ፈርሀ	ፍርሂ: ፍርሃት
	ሰንበደ	ስንባድ: ስንባደ
	ጠዓየ	ጥዕና
	ኰረየ	ኵራ
	ሓጸበ	ሕጽቦ
	ፋጸየ	ፋጻ
	ደመረ	ድምር
	ሓሰበ	ሓሳብ
	መቀረ	መቐረት
	በኸየ	ብኽያት
	ሰዓረ	ስዕረት
	ቀተለ	ቅትለት

ትንተና

<u>ኣስተውዕል፥</u>ካብ ግሲ ረቂቕ ስም ንኽተውጽእ ምፍታን ኣድላዪ ኣይመስለን። ንኣብነት ነዘን ብፊደል ኣሰራርዓ ሓደ ዝኾና ግስታት ማለት 1.1.1. ንመልከት እሞ እተፈለየ ቅርጺ ዝሓዘለ ረቂቕ ስም ከም ዘለወን ንተዓዘብ።

1. ደረፈ= ደርፊ (163)
2. ቀተለ= ቅትለት (6616)
3. መለሰ= ምላሽ (646)
4. ከሰረ= ክስራን: ክስረት (6646:6616)
5. ፈረደ= ፍርዲ (663)
6. ዘለለ=(ዝልላ)፡ዝላ (664)
7. ቀደደ= (ቅድዲ)፡ቅዲ (663)
8. ቀለወ= ቅልዋ (664)
9. ፈለጠ= ኣፍልጦ (4667)
10. ጠዓመ= ጣዕሚ (463)
11. ኣልቀሰ= ልቕሶ (667)
12. መደረ= መደረ (111)

<u>ከም ስም ኮይኑ ዘገልግል ግሲ</u>
(ኣርእስቲ ወይ ስማዊ ግሲ)

እዚ ግሲ'ዚ ኣብ ቅድሚኡ 'ም' ዘለዎ ኮይኑ ዝበዝሕ ጊዜ ኣርባዕተ ፊደላት ዝሓዘ ኢዩ።

<u>ንኣብ</u>፥ <u>ምብላዕ</u>: <u>ምስታይ</u>: <u>ምቕታል</u>: <u>ምድቃስ</u>: ወዘተ...

ኣገባብ ኣሰራርዓኡ= ም+6.4.6

ምትንሳእ= (ም+6646): ምዕግርጋር= (ም+666646) ኢዩ።

<u>መጠንቀቒ</u>፥ ሓድሓደ ሰባት ንኣርእስቲ ወይ ስማዊ ግሲ ከም ሱር ግሲ ኮይኑ ከገልግል ይሕብሩ። ይኹን'ምበር: ኣብ ሴማውያን ቋንቋታት እንተ ተመልከትና እቲ ከም ሱር ግሲ ኮይኑ ዚዝውተር ቃል.......

ትንተና

....መብዛሕትኡ እዋን ስሉስ ፊደል ኮይኑ ሕሉፍ: ተባዕታይ: ንጽል: ሳልሳይ ኣካል ኢዩ። እቲ ስማዊ ግስ ተባሂሉ ዘሎ ከም ምብላዕ: ምርኣይ: ምጥፋእ: ወዘተ... ካልኣይ ፊደሉ ምስ ዚጠብቕ ወይ ምስ ዚተርር ካልእ ትርጉም ዘስዕብ ስለ ዝኾነ ከም መሰረት ኮይኑ ንምግልጋል ኣይክእልን።ንኣብ፥ ምምላእ ካልኣይ ፊደሉ ኪፈኵስ ከሎ፥ ምሉእ ምግባር፥ ካልኣይ ፊደሉ ኪተርር ከሎ ለኪሙ ምኻድ ማለት ኢዩ

ስማዊ- ግሲ ከም ስም ኮይኑ ዚሰርሕ ግሲ: ወይ ከኣ ብሓጺሩ ከም ናይ ሓደ ስም ጠባይ የርኢ ኢዩ

1. ኣነ ምብካይ ኣይፈቱን
2. ኣነ ከም ምስሓቕ ገይሩ ዚፍተወኒ ኩነት የልቦን
3. ንሱ ኣብ መመዓልቲ ምስካር ኣይጸልእን ኢዩ

ክንብል ከሎና ምብካይ: ምስሓቕ: ምስካር: ልክዕ ከም ናይ ስም ጠባይ ከም ዘለዎም ንርእ።

ስማዊ- ግሲ ልክዕ ከም ስም፥ መመልከቲ ቅጽል ይወስድ።

ስም	ስማዊ-ግሲ
1. እቲ ፊልም	1. እቲ ምብካይ
2. እታ ዕምባባ	2. እታ ምስሓቕ
3. እቲ ዝግኒ	3. እቲ ምብላዕ

ስማዊ-ግሲ ዝሓዘሉ ምሉእ ሓሳባት

ምስታይ ጽቡቕ ኣይኮነን
ምድቃስዶ ይሓይሽ ምዝዋር፧
ጽባሕ ምኻድ ይግባኣካ
እቲ ምስሓቕ'ኳ ኣበይ ይርከብ
ምቍያቖዶ ተማሂርካ መጺእካ፧
ምርኣይዶ ስኢንካ ኢኻ፧

ስማዊ-ግሲ ከም ስም: ናይ ዋንነት ቅጽል ይወስድ ኢዩ።

ንኣብ፥ ምብላዕ= ምብላዐይ: ምብላዕካ: ምብላዕኪ....

ትንተና

ምኻድ= ምኻደይ: ምኻድካ...

ምስታይ= ምስታየይ: ምስታይካ...

ምድቃስ= ምድቃሰይ: ምድቃስካ...

ከም ምሉእ ሓሳባት:- ምድቃሰይ ኣቕኒኡካ ዲ'ዩ፧

ምኻዱ (ምኸያዱ...) ኣሕሪቑካ ዲ'ዩ፧

ስለምንታይ ኢኹም ነታ ምብሳዐይ ጸሊእኩምዋ!

መጠንቀቒ፥ እቲ ግሲ ተሳጋሪ ኪኸውን ከሎ: ትርጉም ናይቲ ም.ሓሳባት ይቕየር ኢዩ።

ንኣብ፥ ምኽሓዱ ጽቡቕ ኣይኮነን

እዚ ክልተ ትርጉም ኣለዎ

1. እቲ ሰብ ኪሒዱ ኢዩ'ሞ ጽቡቕ ኣይገበረን
2. ነቲ ሰብ'ቲ ክትክሕዶ ጽቡቕ ኣይኮነን

ስለዚ: ኣብዛ ናይ መወዳእታ ም.ሓሳብ ኣብ ክንዲ፥

"ምኽሓዱ ጽቡቕ ኣይኮነን"

"ክትክሕዶ ጽቡቕ ኣይኮነን" ምባል ይግባእ።

ናይ ስማዊ-ግስ ምድግጋም ባህርያት

(ከምኡ'ውን ናይ ሓድሕድ ተግባራት)

ምብሳዕ = ምብልሳዕ

ምቕታል = ምቅትታል

ምርኣይ = ምርእኣይ

ምስዓር = ምስዕዓር

ምእታው = ምትእትታው

ንኣብ፥ ዓሳታት ምብልሳዕ ባህርያቶም ኢዩ

- ቅድሚ ሕጂ ምርእኣይ የድሊ
- ኣብዚ ኑክሊየራዊ ጊዜ'ዚ ምጥፍፋእ እንተ ዘይኮይኑ ምስዕዓር ዚብሃል ነገር የልቦን

ስማዊ-ግስ ፍሉይ ትርጉም ኪህሉዎ ከሎ

ምእታው ይእቶ: ግን ኣይዛረብ = ኪኣቱ እንተ ደለየ ይእቶ ግን...

ትንተና

ምስዓር ስዒሩ : እንተ'ኾነ ግን ኣይተሓጐሰን = ከም ዝስዓረ ርጉጽ'ዩ ግን...

ምርኣይ ርእየዮ : ግን ኣየለለኹዎን = ከም ዝረኣኹዎ ኣይጠራጠርን ግን...

ምሕዋይ'ሲ ሓውያ ነይራ : ግን እቲ ቃንዛ ኣይገደፋን ...

<u>ሓውሲ-ግሲ</u>

ሓድሓደ ቃላት ግሲ ዚመስሉ ግን ኣብ ግሲ ዘይምርኰሱ ይርከቡ ኢዮም።

<u>ንኣብ</u>+ <u>ንዓ</u>: <u>እንካ</u>: <u>ከላ</u>

እዚኣቶም መብዛሕትኦም ኣብ ትእዛዝ ኢዮም ዚዝውተሩ።

ንዓ= <u>ንዓ</u>: <u>ንዒ</u>: <u>ንዕነ</u>: <u>ንዓናይ</u>: <u>ንዕናይ</u>*

(ብሓንሳብ ንኺድ ማለት ኢዩ) ከምኡ'ውን

<u>ንዕኒ</u>: <u>ንዓኒ</u> እውን ይብሃል ኢዩ።

እንካ= <u>እንካ</u>: <u>እንኪ</u>: <u>እንኩም</u>: <u>እንክን</u>... <u>እንካኒ</u>*

እውን ይብሃል ኢዩ።

ከላ= <u>ከላ</u>: <u>ከሊ</u>: <u>ከሉ</u>: <u>ከልነ</u>....

እነሆ= <u>እነሀኹ</u>: <u>እነሀኻ</u>: <u>እነሀኺ</u>.... ከምኡ'ውን

<u>እነሀኹልካ</u>: <u>እነሀልካ</u>...

እዚኣቶም ሽሕ'ኳ ከም ግሲ ተግባር ዘመልክቱ እንተ ኾኑ: ሱር ግሲ ስለ ዘይብሎም: ሓውሲ- ግሲ ክንብሎም ንኽእል ኢና።

<u>ንኣብ</u>+ ንዓ ተሎ: እንካ መጽሓፍካ: ከላ ከይትውቃዕ: እነሀዉ ኣብዚ:....

---

* እዚ ብ"ኒ" ብ"ናይ" ምውዳእ ባህሪ ኣብ ሓድሓደ ግሳት እውን ይርአ ኢዩ። <u>ንኣብ:-</u> ኪድ= ኪደናይ: (ቀዲምካኒ ኪድ ማለት ኢዩ)።

ስርዓተ ነጥቢ

ክንጽሕፍ ከሎና: ሓሳባትና እነዕርፈሉን እንዓጽወሉን ከምኡ'ውን ንሓትት ወይ ኣሉታ ንህብ ወይ ንግረም ምህላውናን ዚሕብር ምልክታታት ኢዩ።

ኣብ ስርዓተነጥቢ እንኽተሎ ሕግታት እነሆ፥

<u>ክልተ ነጥቢ(:)</u> ክሳብ ቀረባ ግዜ: ንሓደ ቃል ካብ ሓደ ቃል ንምፍላይ ይዝውተር ነበረ። ሕጂ'ውን ንሱ ኣብ ገለ ጽሑፋት ነዚ ኣገልግሎት'ዚ ይውዕል ኣሎ። እንተኾነ ግን: ክልተ ነጥቢ ካብ ጥንቲ እተወርሰ ልማድ ምዃኑ ኣብ ታሪኽ ክንርእዮ ንኽእል። ቀደም ዘመን: ኣቦታትና ኪጽሕፉ ከለዉ: ነቶም ቃላት ፈላሊዮም ንምስፋር ናይ ብራና ሕጽረት ስለ ዝነበሮም: ኣቀራሪቦም ይጽሕፉ ነበሩ። ነዚ እተጨቓጨቐ ጽሕፈት ንምፍላይ ምእንቲ ኪከኣል ድማ: እቲ ናይ ክልተ ነጥቢ ምልክት ኣብ መንጎ ክልተ ቃላት እናእተዉ ይጽሕፉ ነበሩ። ኣብ ግዜና ግን: እቲ ሽዑ ዝነበረ ጸገም ስለ ዘየሎ: ነቲ ክልተ ነጥቢ: ንሓሳባትና ሓጺር ምዕራፍ ንምሃብ እንተ ዘይኮይኑ: ኣብ መንጎ ቃላት ብዘይ ቅጥዒ ምእታዉ: ነቲ ዘንብብ ሰብ ኣዒንቱ ከድክሞን ከፍዝዞን ይኽእል ኢዩ። ስለዚ: ብዚከኣል መጠን ነቲ ክልተ ነጥቢ ብቑጠባ ክንዘውትሮ ይግባእ።

ክልተ ነጥቢ ኣብዚ ዚስዕብ ኩነታት ይዝውተር

1. <u>ኣብ ጸብጻብ ምሃብ</u>
   - ግርማይ: ሰሎሞን: ኣርኣያ ሓሊፎም።
   - ናብ መንደፈራ: ባጽዕ: ከረን በብእዋኑ እኺይድ።
   - ኢብራሂምን ኣደምን መጺኦም። (-ን......-ን እንተሎ ክልተ ነጥቢ (:) ኣየድልን)
2. <u>ኣንባቢ ንኽይደናገር</u>
   - ኣቲ ጓል: መን ትብሃሊ፧
   - እዚ: ወዲ ሓወይ ኢዩ።
   - እዚ ወዲ: ሓወይ ኢዩ።

ስርዓተ ነጥቢ

- እታ ኣደ'ታ ቈልዓ: "ናበይ ከደት፧" በለት።
- እታ ኣደ: "እታ ቈልዓ ናበይ ከደት፧" በለት።

3. <u>ንኡስ ሓረግ ንምፍላይ</u>
   - ሳኦል: እቲ ኣንጻር ዳዊት ዝነበረ: ምስ ሞተ: ብዙሕ ሰብ ሓዘነሉ።

     ግርማይ: እቲ መንእሰይ ስፖርተኛ: ጸወታ ኣቋሪጹ።
4. <u>ድሕሪ ግላዊ ስም ዝሓዘለ ሕቶን ትእዛዝን</u>
   - ኣስገዶም: ኣበይ ጸኒሕካ፧
   - ኣደም: ዝብለካንዶ ስምዓኒ።

<u>ሰረዝ (፤)</u>

ብኣርባዕተ ነጥቢ ንምፍላይ ኣመና እተረሓሓቑ ዘይኮኑ: ዝምድና ዘለዎም ክልተ ወይ ካብኡ ንላዕሊ ዝኾኑ: ብመስተጻምር እተላገቡ ቀንዲ ሓረጋት ንምፍላይ ይኣቱ።

- ተኸላይ መጺኡ ነይሩ፡ ገዛ'ውን ተመሲሑ፤ እንተኾነ ኣይተራኸብናን።
- እፈትዋ እየ፣ ስለ'ዚ ክበጽሓ እየ።
- ኪሮስ ብዙሕ ሓዚኑ፣ ምኽንያቱ ስድራኡ ሓሚሞም ስለ ዝጸንሑዎ።

<u>ምልክት ቀጻልነት/ ጸብጻብ (፥)</u>

ጸብጻብን ኣብነታትን ዘርዚርና ቅድሚ ምጽሓፍና እነዘውትሮ ምልክት ኢዩ።

- እንስሳ ዘቤት እዞም ዚስዕቡ ኢዮም፥ ከልቢ: ድሙ: ደርሆ: ጤለበጊዕ...።
- ንኣብነት፥ ከልቢ: ድሙ: ወዘተ... ብስርዓት ኪተሓዙ ይግባእ።

<u>ኣርባዕተ ነጥቢ (።)</u>

ምሉእ ሓሳባት ንምዕጻው ዘገልግል ምልክት ኢዩ።

- ሰብዓ ዓመት ገዚኡ ሞተ።
- ኣነ ተመሃራይ ኣይኮንኩን።
- ሚናብ: ምስቲ ኩሉ ጸገማቱ: ሕጉስ ህጻን ነበረ።

ምልክት ሕቶ (፧)

ነቲ ሓሳባትና ብናይ ሕቶ መገዲ ነቕርቦ ከም ዘሎና እንሕብረሉ ምልክት ኢዩ።

- መኣስ መጺኣካ፧ ክንደይ ዓመት ሰሪሕካ፧ እንታይ፧ መጺእካዶ፧ ንሱ ዲዩ፧

ትእምርተ ኣንክሮ (!)

እዚ ምልክት'ዚ ኣድናቖትን ምግራምን ስንባደን ደስታን ሓዘንን ንምምልካትን: ነቲ ኣብ ሓይልን ትእዛዝን እተመርኰሰ ኣዘራርባ ንምግላጽ እንጥቀመሉ ምልክት ኢዩ።

- ኣገናዕ! ጸባ ስተ! አይ! እንታይ ረኺቦ! ንዓይ ርአ! እልል! ተዓወት! ሓወይ! ውጻእ! ግደፍ!

ምልክት ጥቕሲ (ትእምርተ ጥቕሲ) (" ")

ንእተባህለ ዘረባ: ልክዕ ከምቲ እተባህሎ ጌርና: ወይ ካብ ገለ ጽሑፋት ከም ጥቕሲ ኣልዒልና: ክንጽሕፍ ከሎና: መለለዪ እንጥቀመሉ ምልክት'ዩ። ብዘይካ'ዚ: ስም ወይ ኣርእስቲ መጽሔት: ዓይነት ጸወታ: ፊልም: ዝተለቃሕናዮ ግን ዘይልሙድ ቃል ምስ እነዘውትር እንጥቀመሉ ም ል ክ ት ኢዩ።

ንኣብ፥ ኣብ ወንጌል ዮሃንስ ምዕራፍ 18 ፍቕዲ 38 ከም'ዚ ይብል፥"ጲላጦስ ከኣ ሓቂ እንታይ ኢዩ፧ በሎ።"

- "ንስኻትኩም ተቓናቓንተይ ኢኹም" ከም ዝበለና ባዕሉ ይእመኖ ኢዩ።
- ኣብ ካልእ ክትሓስብ ጸኒሕካ "እንታይ ኢዩ

ዝበልኩም፧" ኢልካ ኣይትሕተት።

- ኣብ ኣስመራ: "ሕውየት" ዚብሃል

መጽሔት ይሕተም።

<u>ንጽል ጥቕሲ (' ')</u>

(ሀ) እዚ: ኣብ ትግርኛ ኣዚዩ ዝውቱር እኳ እንተ ዘይኮነ: ኣብ ውሽጢ ሓደ እተጠቕሰ ዘረባ ካልእ ጥቕሲ ክነእቱ ምስ እንደሊ ክንጥቀመሉ ንኽእል።

<u>ንኣብነ</u> "መስፍን ነታ ጓል ምስ ረኣያ 'ናበይ ትኸዲ ኣሎኺ፧' ኢሉ ኣጋፊዑዋ" ኢሉ ማቴዎስ ነጊሩኒ።

ኣብዚ ሓሳብ'ዚ: እቲ ኣብ ውሽጢ ድርብ ጥቕሲ ዘሎ ቃላት ብማቴዎስ እተዘርበ ኪኸውን ከሎ: እቲ ኣብ ውሽጢ ንጽል ጥቕሲ ዘሎ ቃላት ግን ብመስፍን እተዘርበ ኢዩ።

- ንሱ ከዘንቱ ከሎ "ኣብቲ ቦታ ምስ በጻሕና: ሓደ ወትሃደር ደው ኣበለና'ሞ 'ወረቐትኩም እስከ ኣርእዩኒ' በለና: ንሕና ከኣ ተቐላጢፍና ኣርኣናዮ" እናበለ ዛንታኡ ቀጸለ።

- ኣቦይ: ኩሉ ግዜ "ኣደኻ ክትጽውዓካ ከላ 'ኣደ እኔኹ' ኢልካ መልሽላ" ይብለኒ ነበረ።

(ለ) ንሓደ ብሩህ ዘይኮነ ቃል ወይ ከኣ ነቲ እተፈልየ ትርጉም ተዋሂቡዎ ዘሎ ቃል ንምምልካት የገልግል።

- ኣብ ኣመሪካ ሓደ 'ነቢይ' ተንሲኡ ኣሎ። (ናይ ሓቂ ነቢይ ከም ዘይኮነ ንምሕባር)።
  - ኣብዚ ዓዲ ብዙሓት 'ሊቃውንቲ' ኣለዉ.
  - እስራኤል ን'ወራር' ሊባኖስ ኣብ ሕቡራት መንግስታት ኣቕሪባቶ
  - ሳባ 'ኣመሪካዊት' ኢያ (ኣመሪካዊት ክትከውን ኢያ እትደሊ)።

<u>ኣስተውዕል</u>:- እቲ ኣብ ጥቕሲ ዚኣቱ ቃል ወይ ምሉእሓሳባት: ልክዕ ከምቲ ካብ ኣፍ ተዛራባይ ዝወጸ ኮይኑ እንተ ድኣ ዘይቀረበ (ማለት ትኽ ዘይበለ ዘረባ እንተ ድኣ ኮይኑ) እቲ ምልክት ጥቕሲ ኣየድልን ኢዩ። <u>ንኣብ</u>፥ (ናብተን መወዳእታ ም.ሓሳባት ተመሊስካ ኣነጻጽር)

- ንሱ ኸዘንቱ ከሎ: ኣብቲ ቦታ ምስ በጽሑ ሓደ ወትሃደር ደው ከም ዘበሎም እሞ ወረቐቶም ከርእዩዎ ከም ዝሓተቶም: ንሳቶም ድማ ተቐላጢፎም ከም ዘርኣዩዎ ገሊጹልና።

- ኣቦይ: ኣደይ ኣብ እትጽውዓኒ ግዜ: ናብኣ ቐሪበ ሃለዋተይ ከረጋግጸላ ከም ዘሎኒ: ኩሉ ግዜ ይነግረኒ ነበረ።

<u>ሓጹር ( )</u>

(ሀ) ነዚ ምልክት'ዚ: ንግዜኡ ኣድላዪ ዘይኮነ ሓሳብ ንምግላጽ ወይ ከኣ እቲ ሓሳብ'ቲ ኣብቲ ምሉእሓሳባት ንምእታው:

ነቲ ኣሰራርዓ ቃላት ይሰብሮ ኢዩ ኢልና ምስ እንጠራጠር ወይ ከኣ ኣብ መንጎ ጽሑፍና ሓጺር መግለጺ ምስ ዘድልየና ንጥቀመሉ።

<u>ንኣብ</u>፥ ኣብ ዓድና (ቈላ ከም ዝኾነ ገሊጸልኩም ነይረ) ብዙሓት ኣትማን ኣለዉ።

- እቲ ንጉስ ነቲ ክሱስ ምስ ረኣዮ (ጨካን ንጉስ'ዩ ዝነበረ) ኣዒንቱ ከም ደም ቀይሓ።

- ኣስመሮም ወዲ ግደይ (ወዲ ግደይ ኣይኮነን ዚብሉ'ኳ ብዙሓት ኢዮም) ሓያሎ ጸላእቲ ነበሩዎ።

- ንግዜኡ ብር 500 (ሓሙሽተ ሚእቲ) እሰደልካ ኣሎኹ።

(ለ) ፊደላትን ቍጽርታትን ከም መጸብጸቢ ወይ ከኣ ተርታ ወሃብቲ ኮይኖም ከገልግሉ ከለዉ ይዝውተር።

<u>ንኣብ</u>፥

(1) .... (2)........(3) (ሀ)....................(ለ)....................

ስርዓተ ነጥቢ

(ሐ) ሓድሓደ ግዜ ኣብ ክንዲ ሓጹር: ሓጺር ጋድም ሕንጻጽ (-) ንጥቀም ኢና።

<u>ንኣብ</u>፥ ንኣብርሀት- እታ ኣብ ዓዲ ጣልያን ንነዊሕ ዓመታት እተቐመጠት- ትማሊ ረኺበያ።
ተኸላይ ዓንዳይ- ጋንዲ ዚብሉዎ'ውን ኣለዉ- ሆስፒታል ኣትዩ።

<u>ኣስተውዕል</u>: እዚ ኣገባብ'ዚ ግን ምስቶም ሓጺር ጋድም ሕንጻጽ ዘዘውትሩ ድርብ ቃላት (ንኣብ፥ ስነ-ህንጻ፡ ድሕረ-ጥብቆ ወዘተ...) ኣትዩ ስለ ዘደናግር ኣብ ክንዳኡ ሓጹር ምዝውታር ይምረጽ።

<u>ጭረት (')</u>

እቲ ኣብ ስርዓተነጥቢ ትግርኛ ክሳብ ሕጂ ብሸለለትነት ዚርአ ዘሎ ምልክት: ጭረት ኢዩ። ነዚ ምልክት'ዚ ኣዚዩ ኣድላዪ ካብ ዚገብሮ ምኽንያታት ሓደ ከኣ: ኣብ ትግርኛ ቃላት ብምሕጻር ዚፍጠር ኣደማምጻ ብብዝሒ ስለ ዘሎ ኢዩ።

<u>ንኣብ</u>፥ ኣበዩ: ኣበይ'ኻ: መንዩ: ንሱዲዩ: ኣነውን: ኪድባ: ዋላኳ: እንታይሞ ወዘተ።

እዞም ኣብ ላዕሊ ተጠቒሶም ዘለዉ ቃላት: እተጣበቑ ቃላት ስለ ዝኾኑ'ሞ: ተጣቢቖም እንተ ድኣ ተዘውቲሮም መበቌሎምን መሰረቶም ንምምርማር ሽግር ዘምጽእ ስለ ዝኾነ: ነቲ ኣድላዪ ምልክታት ክንገብረሎም የድሊ። ስለዚ ነዞም ቃላት'ዚእቶምን ከምኦም ንዚመስሉን ጭረት ክንገብረሎም ከሎና: ክልተ ወይ ሰለስተ እተጣበቑ ቃላት ደኣ'ምበር ሓደ ርእሱ ዝኸኣለ ቃል ከም ዘይኮኑ ኪፍለጥ ይከኣል።

ስርዓተ ነጥቢ

ኣበይ ኢዩ= **ኣበይ'ዩ**	<u>ምስ መስተጻምር ግን</u>
	<u>ጭረት ኣየድልን</u>
መን ኢዩ= **መን'ዩ**	<u>ንኣብ</u>: ስለዚ
ኣበይ ኢኻ= **ኣበይ''ኻ**	ከምዚ
ንሱ ዶ ኢዩ= **ንሱ ዲ'ዩ**	ኣብዚ
ኣነ እውን= **ኣነ'ውን**	ከምቲ
ኪድ እባ= **ኪድ'ባ**	ምስቲ
ዋላ እኳ= **ዋላ'ኳ**	ኣብቲ
እንታይ እሞ= **እንታይ'ሞ**	ምስዚ
ንሳዶ ኢያ= **ንሳ ዲ'ያ**	በቲ
እንካ እንዶ= **እንካ'ንዶ**	በዚ
ንሱ እምበር= **ንሱ'ምበር**	ካብዚ
ትሰትይ ኣላ= **ትሰቲ'ላ**	ካብቲ
ይሰትይ ኣሎ= **ይሰቲ'ሎ**	ናብቲ

ይኹን'ምበር: ምስ <u>ከ</u>: <u>ኸ</u>: <u>ስ</u>: <u>ዶ</u>: ጭረት ኪህሉ ኣይግባእን <u>ንኣብ</u>: ኣብርሃም<u>ከ</u>፧ ንሳ<u>ስ</u> የላን። ክበልየ<u>ዶ</u>፧

<u>ናይ'ዞም ዚስዕቡ ዝርዝራት ዝተጣበቀ ቅርጺ'ውን ንመልከት</u>

ኣነ እንዶ እየ	=	ኣነ'ንድ'የ
ንስኻ እንዶ ኢኻ	=	ንስኻ'ንዲ''ኻ
ንስኺ እንዶ ኢኺ	=	ንስኺ'ንዲ''ኺ
ንሱ እንዶ ኢዩ	=	ንሱ'ንዲ'ዩ
ንሳ እንዶ ኢያ	=	ንሳ'ንዲ'ያ
ንሕና እንዶ ኢና	=	ንሕና'ንዲ'ና
ንስኻትኩም እንዶ ኢኹም	=	ንስኻትኩም'ንዲ''ኹም
ንስኻትክን እንዶ ኢኽን	=	ንስኻትክን'ንዲ''ኽን
ንሳቶም እንዶ ኢዮም	=	ንሳቶም'ንዲ'ዮም
ንሳተን እንዶ ኢየን	=	ንሳተን'ንዲ'የን
ኣነዶ ኢየ	=	ኣነ ድ'የ፧

ስርዓተ ነጥቢ

ንስኻዶ ኢኻ	=	ንስኻ ዲ'ኻ፧
ንስኺዶ ኢኺ	=	ንስኺ ዲ'ኺ፧
ንሱዶ ኢዩ	=	ንሱ ዲ'ዩ፧
ንሳዶ ኢያ	=	ንሳ ዲ'ያ፧
ንሕናዶ ኢና	=	ንሕና ዲ'ና፧
ንስኻትኩምዶ ኢኹም	=	ንስኻትኩም ዲ'ኹም፧
ንስኻትክንዶ ኢኽን	=	ንስኻትክን ዲ'ኽን፧
ንሳቶምዶ ኢዮም	=	ንሳቶም ዲ'ዮም፧
ንሳተንዶ ኢየን	=	ንሳተን ዲ'የን፧

<u>ሓጺር ጋድም ሕንጻጽ (-)</u>

እዚ ምልክት'ዚ ሓድሓደ ቃላት ተፈላሊየን እንተ ተጻሒፉ ካልእ ትርጉም ይህባ ኢየን ኢልና ኣብ እንሰግኣሉ ግዜ ንጥቀመሉ።

<u>ንኣብ</u>፥ ቤተ-ክርስትያን: ስነ-ስርዓት: ዳግመ-ህንጻ: ማክሮ-ፖሊሲ: ቀይዲ-በተኽ: ቤት-ትምህርቲ: ስነ-ምግባር: ድሕረ-ባይታ: ስነ-ፍልጠት: ዓርበ-ረቡዕ: ወዘተ...

ይኹን'ምበር: እዚ ኣብ ላዕሊ ተጠቒሱ ብሓጺር ጋድም ተፈልዩ ዘሎ ድርብ ቃላት: ከም ሓደ ቃል ኮይኑ ብዘይ ሓጺር ጋድም እንተ ተጻሒፊ ዝሓሸ ኢዩ ዚብል ርእይቶ ኣሎ።

<u>ኣነጻጽር</u>፥ 1- ዓይነ-ስዉራን ኣብ ቤተ-ክርስትያን ትምህርተ-ሰንበት ይወስዱ ኣለዉ።

2- ዓይነ ስዉራን ኣብ ቤተ ክርስትያን ትምህርተ ሰንበት ይወስዱ ኣለዉ።

3- ዓይነስዉራን ኣብ ቤተክርስትያን ትምህርተሰንበት ይወስዱ ኣለዉ።

እቲ ኣብ ቁ.3 ዘሎ ጽሑፍ ብዚያዳ ንጹር ይመስል

<u>ነጠብጣብ (........)</u>

እዚ ምልክት'ዚ ንሓደ ዘይተወሰነ ሓሳብ ወይ ከኣ ዚቕጽል መግለጺ ወይ ከኣ ነቲ እናቐጸለ ከሎ እተሰብረ ወይ ብፍላጥ እተገድፈ ጥቕሳዊ ሓሳብ ንምምላእ ከም ምልክት ኮይኑ የገልግል። <u>ንኣብ፥</u>

- ነቲ ኣቕሑ: ከምኒ፥ ማንካ: ድስቲ: ጭልፋ.....: ኣምጽኣዮ።
- ዓብዱ ካብ ዕዳጋ: ስረ: ጐልፎ: ካምቻ.....: ገዚኡ።
- (ምሉእ ጥቕሲ) "እቲ ኩነታት ውግእ ኣብ ዝለዓለ ደረጃ ከይበጽሐ ከሎ ብዝሓጸረ ግዜ ኪውዳእ የድሊ።"
- <u>(እተጐርደ ጥቕሲ)</u> "እቲ ኩነታት ውግእ..... ብዝሓጸረ ግዜ ኪውዳእ የድሊ።"

<u>ኣስተውዕል፥</u> ኣብ ስራሕ ጋዜጠኝነት: ነጠብጣብ ኪዝውተር ከሎ: እተጐርደ ሓሳባት ከም ዘሎ: ግን ከኣ ከም ዘይተጠቕሰ ይሕብር።

<u>ዝባር (/)</u>

እዚ ምልክት'ዚ ነቲ ከም ስዲ ንባብ ኮይኑ ዚጸሓፍ ግጥሚ ወይ መዝሙር ከም መፍለዪ ከገልግል ይኽእል።

<u>ንኣብ፥</u> ዕላማና ዕላማና/ ኣደ ኹሎም ጀጋኑና/ ንሳ ኢያ ዋልታ ናትና... ።

ካልእ ኣሃዛዊ ጥቕሚ'ውን ኣለዎ። ይኹንምበር ከም መሕጸሪ መዓርጋት እውን ንጥቀመሉ ኢና።

<u>ንኣብ፥</u>

ወይዘሪት	=	ወ/ት
ወይዘሮ	=	ወ/ሮ
ወትሃደር	=	ወ/ር
ዶክተር	=	ዶ/ር
ሚስተር	=	ሚ/ር
ተጋዳላይ	=	ተጋ/
ተመሃራይ	=	ተመ/
ግራዝማች	=	ግራ/
ቀኛዝማች	=	ቀኛ/
ፊተውራሪ	=	ፊተ/

ሓረጋት

3ይ ምዕራፍ

ዓይነት ምሉእሓሳባት

(ሀ) ምሉእሓሳብ ሓሳብ ኪዓጹ ዚኽእል በዓል ቤትን(ምስ ወይ ብዘይ ተሰሓቢ) ግስን ኪህሉዎ ከሎ ኢዩ። ንሱ ሓሳብ ንምቕራብን ንምፍራስን ንምሕታትን ንምእዛዝን'ውን የገልግል ኢዩ።

ንኣብ፥ 1. ኣብርሃም ሰለስተ ኣንስቲ ነበራኦ። (ሓተታ)

2. ኣብርሃም ኣንስቲ ኣይነበራኦን። (ኣሉታ)

3. ኣብርሃም ክንደይ ኣንስቲ ነበራኦ፧ (ሕቶ)

4. ንቅድሚት ኪድ! (ትእዛዝ)

ኣብ ቋንቋ ትግርኛ ሓንቲ ቃል'ውን ሓሳብ ክትዓጹ ትኽእል ኢያ።
ንኣብ፥ ሞይቱ። ብላዕ!
(ንሱ ሞይቱ። ንስኻ ብላዕ፡ ማለት ኢዩ)

(ለ) ሓረግ፥ ዚብሃል ኣብ ውሽጢ ምሉእሓሳብ ኮይኑ እተፈላለየ ተዛማዲ ሓሳባት ዚገልጽ ክፍሊ ም.ሓሳብ ኢዩ። ሓረግ ኣብ ሰለስተ ይኽፈል:-

1. ቀንዲ ሓረግ (ወይ ግሳዊ ሓረግ) 2. ንኡስ ሓረግ

3. ተጸጋዒ (ወይ ጽጉዕ ሓረግ)

1. ቀንዲ ሓረግ፥ እቲ ቀንዲ ሓሳብ ዝሓዘ ናይ ቃላት ሰንሰለት ኢዩ።

2. ጽጉዕ ሓረግ፥ ርእሱ ዘይክእል ምስ ካልእ ሓረግ ተጸጊዑ ጥራይ ሓሳብ ኪዓጹ ዚኽእል ናይ ቃላት ሰንሰለት ኢዩ።

3. ንኡስ ሓረግ፥ ንበይኑ ዚዝውተር: ኣሳሪ ግሲ ወይ

ሓረጋት

ፈጺሙ ግሲ ዘይብሉ ናይ ቃላት ሰንሰለት ኢዩ።

<u>ንመረድኢ</u>፥ ኣቦይ ምስ ሓመመ ናብ ኣስመራ መጺአ።

ኣብዚ ምሉእሓሳብ'ዚ፡-

(1) <u>**ኣቦይ ምስ ሓመመ**</u> ምስ ካልእ ሓረግ ኮይኑ ሓሳብ ዘቕርብ ስለ ዝኾነ ጽጉዕ ሓረግ /ወይ ከአ ተጸጋዒ ሓረግ/ንብሎ።

(2) <u>**ናብ ኣስመራ መጺአ**</u> ናይቲ ም.ሓሳብ ቀንዲ ክፍሊ ስለ ዝኾነ ቀንዲ ሓረግ ንብሎ።

(3) <u>**ናብ ኣስመራ**</u> ሓሳብ ኪዓጹ ስለ ዘይክእል ንኡስ ሓረግ ንብሎ።

(ሐ) <u>ድርብ ም.ሓሳብ</u> ክልተ ወይ ካብኡ ዚዛይድ ጽጉዕ ሓረግን ሓደ ቀንዲ ሓረግን ዝሓዘለ ኢዩ።

<u>ንኣብ</u>፥ ንሱ ምሉእ መዓልቲ ክሰክር ስለ ዚውዕል: ሽሕ'ኳ ከም ዓርኪ ኈንካ እንተ መዓድካዮ: ኣይሰምዓካን ኢዩ።

1. ምሉእ መዓልቲ ክሰክር ስለ ዚውዕል (ጽጉዕ ሓረግ)
2. ንሱ ኣይሰምዓካን ኢዩ (ቀንዲ ሓረግ)
3. ሽሕ'ኳ ከም ዓርኪ ኈንካ (ጽጉዕ ሓረግ)
4. እንተ መዓድካዮ (ጽጉዕ ሓረግ)

ኣብዚ ኣብ መወዳእታ ጠቒስናዮ ዘሎና ም.ሓሳብ: እቲ ቀንዲ ሓረግ "ንሱ ኣይሰምዓካን ኢዩ" ዚብል ኢዩ። እቲ ዝተረፈ (ማለት ቍ. 1.3.4) ጽጉዕ ሓረጋት ኢዩ።

<u>ዓይነታት ሓረግ</u>

ሓድሓደ ጊዜ ጽጉዕ ሓረግ: ከም <u>ስም</u>: <u>ቅጽል</u> ወይ <u>ተውሳከግስ</u> ኮይኑ ይሰርሕ ኢዩ። ናይ ስም ስራሕ ኪሰርሕ ከሎ <u>ስማዊ ሓረግ</u>: ናይ ቅጽል ስራሕ ኪሰርሕ ከሎ <u>ቅጽላዊ ሓረግ</u>: ናይ <u>ተውሳከግስ</u> ስራሕ ኪሰርሕ ከሎ ኸኣ <u>ተውሳከግሳዊ ሓረግ</u> ይብሃል።

<u>መረድኢ</u>፥

(ሀ) <u>ስማዊ ሓረግ</u>፥ "ኣነ ን<u>እስጢፋኖስ</u> ኣይፈልጦን ኢየ" ዚብል ም.ሓሳብ ከም ኣብነት እንተ ወሰድና: "እስጢፋኖስ" ስም

ሓረጋት

ኢዩ።

"ኣነ ነቲ እትብሎ ዘሎኻ ኣይፈልጦን ኢየ" ክንብል ከሎና'ውን ሓደ ብባህርያኡ ንስም ዘይመስል እንተ ኾነ: ኣብቲ ክፍሊ ሰዋስው ዘለዎ ተራ ተመሳሳሊ ቦታ ዝሓዘ ሓረግ ነዘውትር ስለ ዘሎና፡ እቲ "ነቲ እትብሎ ዘሎኻ" ዚብል ሓረግ ኣብቲ "ንእስጢፋኖስ" ዚብል ስም ዝነበሮ ቦታ ኪኣቱ ስለ ዚኽእል ስማዊ ሓረግ ንብሎ።

ተወሳኺ ኣብነታት ስማዊ ሓረግ፥

1. ናብ ዓዲ ምኻድካ ኣይሰማዕናን
2. ንሳቶም ኪሰምዑ ድልየት ዘይብሎም ኢዮም
3. እንታይ ከም እትደሊ ንገረኒ
4. ብተንኰል ዝመጸ ገንዘብ ኣይደልን'የ

እዞም ኣብ ላዕሊ ኣብ ትሕቲኦም ተሰሚሩሎም ዘሎ ሓረጋት ስማዊ ሓረጋት ኢዮም። ብዝኾነ ዓይነት ስምን ተመሳሳሊኡን ድማ ኪትካኡ ይኽእሉ።

(ለ) ቅጽላዊ ሓረግ፥ እዚ ሓረግ'ዚ ልክዕ ከም ሓደ ቅጽል ንስምን ንኪ.ስምን ይውስን።

ንኣብ፥ ንሱ ጅግና ኢዩ።

"ጅግና" ቅጽል ኢዩ

ንሱ ኣብ ዓድዋ እተዋግአ ኢዩ።

"ኣብ ዓድዋ እተዋግአ" ልክዕ ከምቲ ቅጽል 'ጅግና' ሒዙዎ ዘሎ ዚመሳሰል ቦታን ስራሕን ስለ ዘለዎ: ቅጽላዊ ሓረግ ንብሎ።

ተወሳኺ ኣብነታት ቅጽላዊ ሓረግ፥

1. እቶም ንህዝቢ ዝብዝብዙ ዝነበሩ ነጋዶ ተኣሲሮም
2. ሃይለ እቲ ብዙሕ ገበን ዝፈጸመ ሽፍታ ተታሒዙ
3. እቲ ካብ ሰማይ ዝወረደ እንጌራ ህይወት ኣነ እየ

እዞም ኣብ ትሕቲኦም ተሰሚሩሎም ዘሎ ሓረጋት ቅጽላዊ ሓረጋት ኢዮም። ብዝኾነ ዓይነት ቅጽልን ተመሳሳሊኡን ድማ ኪትካኡ ይኽእሉ።

ሓረጋት

(ሐ) ተውሳከግሳዊ ሓረግ ከም ተውሳከግስ ኮይኑ ንግስን ቅጽልን ንተውሳከግስን ኪውስን ዚኽእል ሓረግ ኢዩ።

ንኣብ፥ ማቴዎስ ብንድሪ ተዛረበ።

ማቴዎስ ከመይ ኢሉ ተዛረበ፧ ብንድሪ። እምበኣር ብንድሪ ተውሳከግስ ኢዩ።

ማቴዎስ ብንድሪ ዓው ኢሉ ተዛረበ ምስ እንብል ግን "ብንድሪ ዓው ኢሉ" ናይ ተውሳከግስ ቦታን ጠባይን ዝሓዘ ስለ ዝኾነ ተውሳከግሳዊ ሓረግ ንብሎ።

ተወሳኺ ኣብነታት ተውሳከግሳዊ ሓረግ፥

1. ተስፉይ ብሓሶት እናመስከረ የእስር ኣሎ
2. ስለ ዝኣምነሉ እገብሮ ኣለኹ
3. እንተ ደኣ ተነሲሑ ኪድሕን ኢዩ
4. ኣብ ዝኸድካዮ ቦታ ኣይተቋላምጽ
5. ዝናብ ምስ ገደፎ ተሰናበቱ

እዞም ተሰሚሩሎም ዘለው ሓረጋት ተውሳከግሳዊ ሓረጋት ኢዮም። ሓድሓደ ጊዜ ንጽል ቃላት እውን ከም ሓረግ የገልግሉ ኢዮም። እዞም ከም ሓረግ ኮይኖም ዜገልግሉ ቃላት ከም ተውሳከግሳዊ: ስማዊ: ቅጽላዊ: ሓረግ ኣገልግሎቶም ይህቡ።

ንኣብ፥ 1. ስማዊ ሓረግ= ኣበላልዓኻ ኣይፈተኹዎን: ምብላዐይ ኣቕኒኡዎ: ኣሰታትያኻ ኣመሓይሹ

2. ተ.ግሳዊ ሓረግ= ንሳቶም እናተባእሱ ሀውከት ይፈጥሩ ኣለዉ: እናሰተየ ኣይትዛረቦ

3. ቅጽላዊ ሓረግ= እተቐዳደደ ክዳን ለቢሱ: እተቀደሰት መዓልቲ መጸት

(መ) ትምኒታዊ ሓረግ ወይ ከኣ ሓድሓደ ጊዜ ከም ምኽንያታዊ ሓረግ ተባሂሉ ዚፍለጥ: ናይ ትምኒትን ሃረርታን ሓሳባት እንገልጸሉ ናይ ሓደ ም.ሓሳብ ክፍሊ ኢዩ። ናይ'ዚ ኣሰራርሓ ከኣ ኣቐዲምና ርኢናዮ ኔርና ኢና።

ሓረጋት

ንኣብ፥ ከልበይ እንተ ዚኸውን ምቐተልኩዎ (ህልዊ)

-ከልበይ ነይሩ እንተ ዚኸውን ምቐተልኩዎ ነይረ (ሕሉፍ)

ኣብ'ዚ ም.ሓሳብ'ዚ እቲ ሃረርታን እቲ ንሱ ምስ ተረኺበ ኪፍጸምዘለዎ ተግባርን ኣብ ሓደ ተጠርኒፉ ንርእዮ።

ስለዚ እቲ ትምኒታዊ ሓረግ "ከልበይ እንተ ዚኸውን" ኢዩ። እዚ ሓረግ'ዚ ሓሳባት ኪዓጹ ስለ ዘይክእል ንኡስ ሓረግ ኢዩ።

መጠንቀቕታ

ኣብ ክንዲ "ም"፡ "ምስ" ምዝውታር

ግን ግጉይ ኢዩ። ንኣብ፥ እንተ ዚህበኒ ምበላዕኩዎ ነይረ (ቅኑዕ)። እንተ ዚህበኒ ምስ በላዕኩዎ ነይረ (ግጉይ)፡ እንተ ዝርእዮ ምቐተልኩዎ (ቅኑዕ)። እንተ ዝርእዮ ምስቀተልኩዎ (ግጉይ)

ንኡስ ትንተና
4ይ ምዕራፍ

(ንመረዳእታን መምርሕን)

እዚ ኣብ ታሕቲ ተዋሂቡ ዘሎ ኣገባብ ትንተና: ነቲ ቅድሚ ሕጂ እተመሃርናዮን ዝረኣናዮን መምርሒታትን ኣገባባትን ብኻልእ ዓይነት መገዲ ኣብ ኣእምሮና ኪህነጽን: ብዕምቈት ኪሰርጽን ተባሂሉ እተዳለወ ኢዩ።

ብተወሳኺ: እዚ ምዕራፍ'ዚ: ነቲ ቅድሚ ሕጂ ዘይበርሃልና: ኣገባብ ይኹን: ኣገላልጻ: ወይ ከኣ ብገለ ምኽንያት ብቝዕ መረዳእታ ኪረክብ ዘይከኣለ ክፍሊ ሰዋስው: ኪበርሃልናን ኪርድኣንን ብማለት ንምዝኽኻር ዝዓለመ ኢዩ።

እዚ ትንተና'ዚ ነቲ ዝሓለፈ መጽናዕቲ ይጥርንፍ።

ትንታኔ

1. **ኣቦይ ላሕሚ ኣላቶ**

   ኣቦ= በዓልቤት: ናይ ሓባር ስም: ተባዕታይ

   ይ= ናይ ዋንነት ቅጽል ድሕረጥብቆ

   ላሕሚ= ተሰሓቢ: ናይ ሓባር ስም: ኣንስታይ: ንጽል

   ኣላቶ= (ሃለወ.ት.ኣ)

   ሃለወት= ናይ ሃለወ ግሲ ህሉው ግዜ: 3ይ ኣካል: ኣንስታይ

   ት= ሕሉፍ: 3ይ ኣካል: ንጽል: ኣንስታይ ድሕረ ጥብቆ

   ኡ= ተሰሓቢ ኪ.ስም (ንኣኡ ማለት ኢዩ)

2. **ሰሎሙን ክልተ ጽቡቓት ደቂ ወሊዱ**

   ሰሎሙን= በዓልቤት: ግላዊ ስም

   ክልተ= ናይ ኣሃዝ ቅጽል: ተርታዊ (ንደቂ ይውስን)

   ጽቡቓት= ናይ ቅርጺ ቅጽል :ብዙሕ

   ደቂ= ተሰሓቢ: ናይ ሓባር ስም: ብዙሕ

   ወሊዱ= (ወሊድ.ኡ) ናይ "ወለደ" ግሲ ሕሉፍ ግዜ: 3ይ

ትንተና 'ሀ'

አካል: ንጽል: ተባዕታይ:

ኡ= "ንሱ" ዘመልክት ድሕረጥብቆ

3. **<u>ብፍቕሪ ተመላለሱ እምበር እኪይ ኣይትግበሩ</u>**

(**ንስኻትኩም**) = ስዉር በዓልቤት: ግላዊ ክ.ስም: 2ይ አካል: ብዙሕ

ብፍቕሪ = (ብ ፍቕሪ) ተውሳከግስ

ተመላለሱ = ግሲ: ትእዛዝ: 2ይ ኣካል: ብዙሕ: ተባዕታይ

4. **<u>ናበይ ትኸይድ ኣሎኻ፧</u>**

(**ንስኻ**) = ስዉር በዓልቤት: ግላዊ ክ.ስም: 2ይ ኣካል: ንጽል

ናበይ = ናይ ቦታ ተውሳከግስ

ትኸይድ ኣሎኻ = "ከየደ" ግሲ: ህሉው ቀጻሊ: 2ይ ኣካል: ንጽል: ተባዕታይ

5. **<u>ኣታ ርጉም! ካበይከ መጺእካ!</u>**

ኣታ = ረቛሒ ክንድስም: 2ይ ኣካል: ንጽል: ተባዕታይ

ርጉም = ናይ ዓይነት ቅጽል: ተባዕታይ: ንጽል

ካበይከ = (ካብ ኣበይ ከ)

ካብ = መስተዋድድ

ኣበይ = ናይ ቦታ ተውሳከግስ

ከ = መስተጻምር

መጺእካ = (መጸእካ) ናይ "መጽአ" ግሲ: ቅዱም: 2ይ ኣካል: ንጽል: ተባዕታይ

ካ = ናይ 2ይ ኣካል: ግሳዊ ድሕረጥብቆ

6. **<u>በል እስከ ውቕዓኒ</u>**

(**ንስኻ**) = ስዉር በዓልቤት: ግላዊ ክ. ስም: 2ይ ኣካል: ንጽል

በል = ናይ "በሃለ" ግሲ: 2ይ ኣካል: ንጽል: ተባዕታይ: ትእዛዝ (ፈትን ማለት ኢዩ)

እስከ = መስተጻምር

ትንተና 'ሀ'

ውቕዓኒ = (ውቓዕ ኒ)

ውቓዕ = ካብ "ወቕዐ" ግሲ: 2ይ ኣካል: ንጽል: ተባዕታይ: ትእዛዝ

ኒ = ተሰሓቢ ክ. ስም: 1ይ ኣካል: ንጽል (ንኣይ ማለት'ዩ)

7. <u>ቡቲ ግዜ'ቲ ህዝቅያስ ናብ ሞት ክሳዕ ዚቐርብ ሓመመ እሞ ንእግዚኣብሔር ለመነ</u>

ቡቲ = (ብ.እቲ)

ብ = መስተጻምር

እቲ = ድርብ መመልከቲ ቅጽል (እቲ... እቲ)

ግዜ = ረቂቕ ስም: ንጽል

እቲ = ድርብ መመልከቲ ቅጽል (እቲ...+ስም... +እቲ)

ህዝቅያስ = በዓልቤት: ግላዊ ስም: ተባዕታይ

ናብ = መስተዋድድ

ሞት = ረቂቕ ስም

ክሳዕ = ናይ ጊዜ መስተዋድድ

ዚቐርብ = (ዝ. ይቐርብ)

ዝ = መስተጻምር (ምስ "ክሳዕ" ዚዝውተር)

ይቐርብ = ናይ "ቀረበ" ግሲ: ህሉው: 3ይ ኣካል: ንጽል

ሓመመ = ግሲ: ቅዱም

እሞ = መስተጻምር

ን= መስተዋድድ

እግዚኣብሔር = ግላዊ ስም: ተሰሓቢ: ተባዕታይ:ንጽል

ለመነ = ግሲ: ቅዱም

8. <u>ኣበላልዓኻ እንተ ዘይ ኣጸቢቕካ ክትስገጐ ኢኻ።</u>

(ንስኻ) = ስዉር በዓልቤት: ክ.ስም: 2ይ ኣካል: ንጽል: ተባዕታይ

ኣበላልዓኻ = (ኣበላልዓ.ኻ) ተሰሓቢ

ኣበላልዓ = ካብ "በልዐ" ዝወጸ ናይ ኣገባብ ተውሳከግስ

ኻ = ናይ ዋንነት ክ.ስም: 2ይ ኣካል: ንጽል: ተባዕታይ

ትንተና 'ሀ'

**እንተዘይ ኣጸቢ`ቕካ** = (እንተ. ዘይ. ኣጸቢ`ቕ. ካ)

እንተ = ም`ኽንያታዊ መስተጻምር

ዘይ = ምስ መስተጻምር "እንተ" ዚ`ኸይድ ናይ ኣሉታ ተውሳከግስ

ኣጸቢ`ቕ = "ኣጸበቐ" ግሲ: ኣስራሒ: ቅዱም: 2ይ ኣካል ንጽል: ተባዕታይ

ካ = ክ.ስም: ድሕረ ጥብቆ (ን`ስኻ)

ክትስጉ`ኡ ኢ`ኻ = ግሲ: ትንቢት ጊዜ: 2ይ ኣካል: ተባዕታይ: ንጽል

9. <u>ንሱ ብሓቂ ተቓሊሱ ኢዩ</u>

ንሱ = በዓልቤት: ክንድስም: 3ይ ኣካል: ንጽል: ተባዕታይ

ብሓቂ = ተውሳከግስ (ን "ተቓለሰ" ይውስን)

ተቓሊሱ = "ተቓለሰ" ግሲ: ሕሉፍ: 3ይ ኣካል: ተባዕታይ: ንጽል

ኢዩ = ናይ ምህላው ግሲ: ህሉው ጊዜ: (ዓጻዊ ግሲ)

10. <u>ንሳቶም እናበልዑ ይኸዱ ነበሩ።</u>

ንሳቶም = በዓልቤት: ክንድስም: 3ይ ኣካል: ብዙሕ: ተባዕታይ

እናበልዑ = (እና በልዑ)

እና = ናይ ምድግጋም ተውሳከግስ

በልዑ = ግሲ: ቅዱም: 3ይ ኣካል: ብዙሕ: ተባዕታይ

ይኸዱ ነበሩ = ግሲ: ሕሉፍ ቀጻሊ: 3ይ ኣካል: ብዙሕ: ተባዕታይ

11. <u>እናበልዐት ክትከይድ (ከላ) ርእየያ</u>

(ንሳ) = ስዉር በዓልቤት: 3ይ ኣካል: ኣንስታይ: ንጽል

እናበልዐት = (እና. በልዐት)

እና = ናይ ምድግጋም ተውሳከግስ

በልዐት = ግሲ: ቅዱም: 3ይ ኣካል: ኣንስታይ: ንጽል

ከላ = ምስ "እና" ዚ`ኸይድ ሓጋዚ ግስ

ርእየያ = (ርእየ.ያ)

ርእየ = ግሲ: ሕሉፍ ጊዜ

ያ = ተሰሓቢ ክ.ስም (ንኣኣ ማለት'ዩ)

12. <u>ንሕና መጺእና ኣሎና</u>

ንሕና = በዓልቤት: 1ይ ኣካል: ብዙሕ

መጺእ (ና) = ሕሉፍ ግሲ ናይ 'መጽአ'

ና = ን'ንሕና' ዘመልክት ድሕረጥብቆ (ደቂቕ ክንድስም)

ኣሎና = ሓጋዚ ግሲ (ካብ ሃለወ ዝወጸ)

መጺእና ኣሎና = ናይ ቀረባ ሕሉፍ: 1ይ ኣካል: ብዙሕ

13. <u>ምስቲ ዝበደለካ ምትዕራቕ ጽቡቕዶ ኣይኮነን፧</u>

(ንስኻ)= ስዉር በዓል ቤት: 2ይ ኣካል: ተባዕታይ: ንጽል

ምስቲ = (ምስ እቲ)

ምስ = መስተዋድድ

እቲ= ኣመልካቲ ቅጽል: ተባዕታይ

ዝበደለካ = (ዝ በደለካ)

ዝ = ኣዛማዲ ተውሳከግስ

ምትዕራቕ = ካብ 'ተዓረቐ': ስማዊ ግሲ (ኣርእስቲ)

ጽቡቕ = ናይ ዓይነት ቅጽል: ንጽል: ተባዕታይ

ዶ = ናይ ሕቶ ድሕረ ጥብቆ

ኣይኮነን = (ኣይ. ከወነ. ን)

ኣይ...ን= መቕወሚ ኣሉታ

ከወነ= ግሲ: ቅዱም

14. <u>ምስ መን ኢና'ሞ እንዛረብ፧</u>

ምስ = መስተዋድድ

መን = ናይ ሕቶ ክ.ስም

ኢና = ናይ ምህላው ግሲ: ዓጻዊ: 1ይ ኣካል: ብዙሕ

ሞ = (እሞ) = መስተጻምር

እንዛረብ = (እ. ንዛረብ)

ትንተና 'ሀ'

እ = ኣዛማዲ ተውሳከግስ

ንዛረብ = ናይ 'ተዛረበ' ህሉው: 1ይ ኣካል: ብዙሕ ምስ 'ኢና' ኮይኑ ይዓጹ

15. <u>ክንደይ ኮን ሂባትሉ ትኸውን፤</u>

ክንደይ = ናይ ሕቶ ክ.ስም

ኮን = (ደኾን: ዶ ይኸውን) ናይ ከወነ ህሉው ግዜ

ሂባትሉ = (ውሂባ ትሉ) ወይ ከኣ (ወሃበት ሉ)

ውሂባ = ሕሉፍ ግሲ

(ት) ሉ = መስተዋድዳዊ ክ.ስም: "ሉ" (ንኣኡ ንምግዛእ)

ትኸውን = ናይ ህሉው ግዜ ግሲ: ንጽል: ኣንስታይ (ምጥርጣር የመልክት)

16. <u>ንሕና እንተ ንኸውን ስቕ ኢልና ኣይምረኣናዮን</u>

ንሕና = በዓል ቤት: ክ.ስም: 1ይ ኣካል: ብዙሕ

እንተ = ምኽንያታዊ: ተውሳከግስ

ንኸውን =ናይ 'ከወነ' ግሲ: ህሉው ግዜ: 1ይ ኣካል: ብዙሕ

ስቕ = ሓውሲ ግሲ (ግሲ ደላዪ)

ኢልና = (ብሂልና) ናይ 'በሃለ' ሕሉፍ

ኣይምረኣናዮን = (ኣይ.ም.ረኣና. ዮ.ን)

ኣይ = ናይ ኣሉታ ተውሳከግስ መበገሲ ቅድመ ጥብቆ

ም = ናይ ምኽንያታዊ ግሲ መበገሲ ቅድመ ጥብቆ

ረኣና = ግሲ 'ረኣየ': ቅዱም: 1ይ ኣካል: ብዙሕ

ዮ = ተሰሓቢ ክ.ስም (ነቲ ሰብ ወይ ነቲ ነገር)

ን = ናይ ኣሉታ ተውሳከግስ: ድሕረ ጥብቆ

17. <u>ንሳ ኢጣልያዊት እንተ ትኸውን ደኣ ስለምንታይ ጥልያን ዘይትዛረብ</u>

ንሳ = በዓልቤት: ክንድስም: 3ይ ኣካል: ንጽል: ኣንስታይ

ኢጣልያዊት = (ኢ.ጣልያ.ዊት) ናይ ወገን ቅጽል

ዊት = ናይ ወገን ቅጽል: ድሕረጥብቆ: ኣንስታይ: ንጽል

ትንተና 'ሀ'

እንተ = ምኽንያታዊ ተውሳከግስ

ትኸውን = ግሲ "ከወነ": ህሉው ግዜ

ደኣ = ኣፍራሲ መስተጻምር

ስለምንታይ = ናይ ሕቶ ተውሳከግስ

ጥልያን = ረቒቕ ስም: ተሰሓቢ

ዘይትዛረብ = (ዘ. ኣይ. ትዛረብ) ምኽንያታዊ ተውሳከግስ
ሓረግ

ዘ = ኣዛማዲ ተውሳከግስ

ኣይ = ኣሉታዊ ተውሳከግስ: ቅድመጥብቆ

ትዛረብ = ግሲ 'ተዛረበ': ህሉው: 3ይ ኣካል: ንጽል:
ኣንስታይ

ዓቢይ ትንተና

7ይ ምዕራፍ

እዚ ትንተና'ዚ: ነቲ ምሉእሓሳብ ብሓረጋዊ መገዲ ዚርእዮ ኢዩ። ማለት ቃል ብቓል ዘይኮነስ ብኣገባቡን: ብኣሰኻኹዓኡን: ብኣሰራርዓኡን ይምርምሮ። እዚ ዓይነት ትንተና'ዚ ነቲ ኣብ ቋንቋ ትግርኛ ብሸለልትነት እንገብሮ ዘይእሩም ኣበሃህላ ንምእራም ኪጠቕመና ይኽእል ኢዩ።

ብዙሓት ተዛረብቲ ትግርኛ ዝኾኑ ዜጋታት: ነቲ ቛንቋ ልክዕ ከምቲ ዚዛረቡዎ ገይሮም ይጽሕፉዎ። እንተኾነ ግን ሓደ ቋንቋ: ሽሕ'ኳ ዘዕበየካ እንተ ኾነ: ክትዛረበሉን: ብዝበለጸ መገዲ ከኣ ክትጽሕፈሉን ከሎኻ: ኣየናይ ቅድሚት ኣየናይ ከኣ ድሕሪት ከም ዚመጽእ: ኣበየናይ ግዜ ከኣ ሓጋዚ ግሲ ኪኣቱ ከም ዘለዎ: ምልላይን ምፍላጥን ኣድላዪ ኢዩ። እንተ ዘይኮነ: ግልብጥብጥ ዝበለ ኣዘራርባን: ኣተሓሳስባን: ነቲ እንጽሕፎ እውን ትሕዝቶ ዘይብሉን: ኣብ ኣእምሮ ኪስኳዕ ዘይክእልን ኪገብሮ ስለ ዚኽእል: ነዚ ትንተና'ዚ ተገዲስና ክንምልከቶ ይግባእ።

ኣብ ቋንቋ ትግርኛ ናይ ሓደ ምሉእሓሳብ ኣሰራርዓ ቃላት <u>በዓልቤት</u>: <u>ተሳሓቢ</u>: <u>ግሲ</u> ኢዩ። እዚ ኣሰራርዓ'ዚ ኣብ እተፈላለየ ኵነታት እናተመልከትና ክንምርምሮ ኢና።

ሓድሓደ ጊዜ እቲ ም.ሓሳብ፡ በዓልቤት ዘይብሉ መሲሉ እኳ እንተተራእየና: በቲ ድሕሪ ግሲ ዚመጽእ ክንድስም ጌርና ክንፈልጦ ንኽእል ኢና።

<u>ንኣብ:-</u> ኣብቲ "እንታይ ደሊኻ" ዚብል ም.ሓሳባት
በቲ ኣብ 'ደሊኻ' ዘሎ 'ኻ' እቲ በዓልቤት 'ንስኻ' ምዃኑ ንፈልጥ።

1. <u>ኣስመሮም ክልተ መጻሕፍቲ ሂቡኒ</u>

1. ኣስመሮም 2. ክልተ መጻሕፍቲ 3. ሂቡኒ

(1) በዓልቤት

(2) ተሰሓቢ

(3) ግሲ

2. ንመን ደሊኻ፧

1. (ንስኻ) 2. ንመን 3. ደሊኻ

(1) በዓልቤት

(2) ተሰሓቢ

(3) ግሲ

3. ካበይ መጺእካ፧

1. (ንስኻ) 2. ካበይ 3. መጺእካ

(1) በዓልቤት

(2) ናይ ቦታ ተውሳከግስ

(3) ግሲ

4. ነቲ ደብዳቤ ነቲ ራእሲ ሂቡዎ (ንጽል ም.ሓሳብ)

1. (ንሱ) 2. (ን) ነቲ ደብዳቤ 3. ነቲ ራእሲ 4. ሂቡዎ

(1) በዓልቤት

(2) ተሰሓቢ

(3) ዳግማይ ተሰሓቢ

(4) ግሲ

5. ብፍቕሪ ተመላለሱ እምበር እከይ ኣይትግበሩ (ድርብ ም.ሓሳብ)

ሀ) 1. (ንስኻትኩም) 2. ብፍቕሪ 3. ተመላለሱ 4. እምበር

ለ) 1. (ንስኻትኩም) 2. እከይ 3. ኣይትግበሩ

ሀ (1). በዓልቤት

(2) ተውሳከግስ

(3) ግሲ

(4) መስተጻምር

ለ (1) በዓልቤት

(2) ተሰሓቢ

(3) ግሲ

ምሉእሓሳባት "ሀ" ን "ለ" ን በታ <u>እምበር</u> እትብል መስተጻምር ተተሓሒዘን ኣለዋ።

6. <u>ማርዶካይ ድማ ሰማያውን ጻዕዳን ልብሲ መንግስቲ ተኸዲኑ: ዓብዪ ዘውዲ ወርቂ ኣብ ርእሱ ደፊኡ: ብልሕጺ እንጣጢዕ እተገብረ ዓለባ ተወንዚፉ: ካብ ቅድሚ ንጉስ ወጸ።</u> (እተደራረበ ም.ሓሳብ)

<u>ቀንዲ ሓረግ</u>፥ 1. ማርዶካይ 2. ካብ ቅድሚ ንጉስ 3. ወጸ

(1) በዓልቤት

(2) መስተጻምራዊ ሓረግ

(3) ግሲ

<u>ጽጉዓት ሓረጋት</u>፥

ሀ. ሰማያውን ጻዕዳን ልብሲ መንግስቲ ተኸዲኑ

ለ. ዓብዪ ዘውዲ ወርቂ ኣብ ርእሱ ደፊኡ

ሐ. ብልሕጺ እንጣጢዕ እተገብረ ዓለባ ተወንዚፉ

እዞም ሰለስተ ጽጉዓት ሓረጋት ማለት (ሀ) (ለ) (ሐ): ማርዶካይ: ብኸመይ ዝበለ ኣገባብ ካብ ቅድም'ቲ ንጉስ ከም ዝወጸ ዘመልክቱ ስለ ዝኾኑ ተውሳከግሳዊ ሓረጋት ንብሎም።

7. <u>እዚ'ስ እቲ ጸራቢ ወዲ ማርያም 'ሓው ያእቆብ: ዮሴፍን: ይሀዳን: ስምኦንንዶ ኣይኮነን፧</u>

<u>ቀንዲ ሓረግ</u>፥ 1. እዝ'ስ 2. እቲ ጸራቢ ወዲ ማርያም ሓው ያእቆብ: ዮሴፍን: ይሁዳን: ስምኦንን 3. ዶ ኣይኮነን

(1) በዓልቤት

(2) ቅጽላዊ ሓረግ

(3) ግሲ

8. <u>እታ ሰበይቲ ከኣ ኣብኣ ዝኾነ ነገረ ፈሊጣ ነበረት እሞ ፈሪሃ ራዕራዕ እናበለት መጺኣ ሰገደትሉ: ኩሉ እቲ ሓቂ'ውን ነገረቶ።</u> (እተደራረበ ምሉእ ሓሳብ)

ትንተና 'ለ'

<u>ቀንዲ ሓረግ</u>:- ሀ. እታ ሰበይቲ ከኣ መጺኣ ሰገደትሉ

ለ. (እታ ሰበይቲ) ኩሉ እቲ ሓቂ ነገረቶ

ሀ. 1. እታ ሰበይቲ ከኣ 2. መጺኣ 3. ሰገደት 4. ሉ

(1) በዓልቤት

(2) ግሲ ወይ ከኣ ተውሳከግስ (ብምምጻእ ማለት ኢዩ)

(3) ግሲ

(4) ተሰሓቢ

ለ. እታ ሰበይቲ 2. ኩሉ እቲ ሓቂ 3. ነገረት 4. ኦ

(1) በዓልቤት

(2) ተሰሓቢ

(3) ግሲ

(4) ዳግማይ ተሰሓቢ (ንኣኡ)

<u>ጽጉዕ ሓረግ</u>፥ (ሀ) እቲ ኣብኣ ዝኾነ ነገር ፈሊጣ ነበረት

እሞ (ለ) ፈሪሃ ራዕራዕ እናበለት

(ሀ) = ናይ ምኽንያት ተውሳከግሳዊ ሓረግ

(ለ) = ናይ ኣገባብ ተውሳከግሳዊ ሓረግ

9. <u>እግዚኣብሄር ሰናይ ኢዩ: ብመዓልቲ ጸበባ ዕርዲ ኢዩ። ነቶም ኣብኡ እተማዕቈቡ ድማ ይፈልጦም ኢዩ። (እተደራረበ ም.ሓሳብ)</u>

<u>ቀንዲ ሓረግ</u>፥ ሀ. እግዚኣብሔር ሰናይ ኢዩ

ለ. እግዚኣብሄር ዕርዲ ኢዩ

ሐ. ይፈልጦም ኢዩ (ንኣታቶም)

<u>ጽጉዕ ሓረግ</u>፥ 1. ብመዓልቲ ጸባባ 2. ነቶም ኣብኡ እተማዕቈቡ

1.ናይ ግዜ ተውሳከግስ

2. ተሰሓቢ

ሓድሓደ ኣገዳሲ ሓበሬታ

ጐረዳት ፊደላት

ኣብ ትግርኛ ጐራዳት ፊደላት ኣብ <u>ገ: ከ: ቀ:</u> እተደረቱ ኢዮም። እዞም ሰለስተ ድምጽታት ናይ "ወ" ድምጺ ኪውሰኾም ከሎ <u>ጐ:</u> <u>ኰ: ቈ</u> ይኾኑ። ጐራዳት ፊደላት ብዝርዝር ንርኣዮም።

1	2	3	4	5	6	7
ጐ	-	ጒ	ጓ	ጔ	ጕ	-
ኰ	-	ኲ	ኳ	ኴ	ኵ	-
ቈ	-	ቊ	ቋ	ቌ	ቍ	-

<u>ኣስተውዕል፥</u> ኣብ ትግርኛ ካእብን ሳብዕን ጐራዳት የለዉን።
ኣብ ክንድኦም ግን ስሩዕ ፊደል ይኣቱ።

<u>ንኣብ፥</u> ጸመቘ = ጽመቆ
(ቘ = ጐራድ : ቆ = ስሩዕ)

እቶም ጐራዳት ፊደላት ትግርኛ <u>ኰኾ ቈቘ ኾ ጐ</u> ኪኾኑ ከለዉ ብዘይካኦም ካልእ ጐራድ የለን: ስለዚ "ጽሟቕ" ኢልካ ምጽሓፍ: ነቲ ኣብ ትግርኛ ዘየለ "ሟ" ምዝውታር ማለት ኢዩ። እቲ ልክዕ ግን ጽማቝ ኢዩ።

<u>ብዝሒ</u>

"የ" ኣብ ከምቲ በጊዕ: ኢልና ኣባጊዕ እንብለሉ መስርሕ: ብዐ/ ኣ/ሐ/ ንዚጅምሩ ቃላት ከነቐድመሎም ይግባእ።

<u>ንኣብ፥</u>

ዓይኒ = ኣዒንቲ

ዓጽሚ = ኣዕጽምቲ

ትንተና 'ለ'

ሓው = ኣሕዋት

እዝኒ = ኣእዛን

ሓምሊ = ኣሕምልቲ

እምኒ = ኣእማን

ሓሙ = ኣሕሙ

ኢድ = ኣእዳው

ድኣ ንብል እምበር

የዒንቲ: የዕጽምቲ: የእዛን: የእማን: የእዳው: የህባይ: የህዛብ: የሕሉቕ: የዕጻው: የሕዋት: ምባል ኪእረም ዝግባእን ኣብ ጽሑፍ ኪዝውተር ዘይብሉን ኣገባብ ኢዩ።

"ይ" ኣብ ሳልሳይ ኣካል ንጽልን ድርብን

	በልዐ	ፈተወ	ከየደ(ከደ)
ኣነ	እበልዕ	እፈቱ	እኸይድ
ንስኻ	ትበልዕ	ትፈቱ	ትኸይድ
ንስኺ	ትበልዒ	ትፈትዊ	ትኸዲ
ንሱ	ይበልዕ	ይፈቱ	ይኸይድ
ንሳ	ትበልዕ	ትፈቱ	ትኸይድ
ንሕና	ንበልዕ	ንፈቱ	ንኸይድ
ንስኻትኩም	ትበልዑ	ትፈትዉ	ትኸዱ
ንስኻትክን	ትበልዓ	ትፈትዋ	ትኸዳ
ንሳቶም	ይበልዑ	ይፈትዉ	ይኸዱ
ንሳተን	ይበልዓ	ይፈትዋ	ይኸዳ

ይኹን'ምበር: ይፍለጠኒ: ይስመዓኒ: ይፍተወኒ: ይብርሃኒ... ይፍለጦ: ይስመዖ: ይፍተዎ... ይፍተዋ: ይፍተወና: ይፍተወኩም: ይፍተወክን: ይፍተዎም: ይፍተወን ምባል ይግባእ።

ኣነ እስመዓኒ: እረኣየኒ: እፍለጠኒ... ዚብል ኣዘራርባ ግን ግጉይ

ኢዩ። ምኽንያቱ እቲ ዚፍቶ: ዚርአ: ዚፍለጥ ዘሎ ነገር ሳልሳይ ኣካል ብምዃኑ ኢዩ።

ዝውቱራት ጌጋታት

ንሱ ንሰለሙን ማይ ኣስትዩዎ። (ግጉይ)

ኣስትዩዎ ከም ኣብልዑዎ ወይ ኣውጽኡዎ ትእዛዝ ግሲ ኢዩ።

እቲ ቅኑዕ ግን ንሱ ንሰለሙን ማይ ኣስቲዩዎ ኢዩ።

ንሱ ኣብራሃም ይበሃል ወይ ይባሃል። (ግጉይ)

ይበሃል ከም ይበላዕ ወይ ይሰተ ትእዛዝ ግሲ ኢዩ።

እቲ ቅኑዕ፡ ንሱ ኣብራሃም ይብሃል ኢዩ።

እንተ ንሱ መጺኡ ናብ ሲነማ ክንከይድ ኢና።(ግጉይ)

እንተ: ምእንቲ፡ መታን :እንተ ደኣ: ቅድሚ ግሲ ክስራዕ ይግባእ

ስለዚ እቲ ቅኑዕ፡ ንሱ እንተ መጺኡ ናብ ሲነማ ክንከይድ ኢና ኢዩ።

ኣነ መስፍን ይብሃል። (ግጉይ)

ይብሃል ሳልሳይ ኣካል ኢዩ።

እቲ ቅኑዕ: ኣነ መስፍን እብሃል ኢዩ።

ረቂቕ ስማት

ኣብ ቋንቋ ትግርኛ ዝውቱራትን ግሲ ዘለዎምን ረቂቕ ስማት ብቐዳማይ ፊደል (ግእዝ) ደኣምበር ብሓምሳይ ፊደል (ሓምስ) ኪጸሓፉ ኣይግባእን።

ማዕበለ = ምዕባለ (ምዕባሌ ግጉይ ኢዩ።)

ስለዚ፦

ፈጸመ = ፍጻመ

ሰልጠነ = ስልጣነ

ጠርጠረ = ጥርጣረ

ወሰነ = ውሳነ
ሓንቀቐ = ሕንቃቀ
መጠነ = ምጣነ

ብሓምሳይ ፊደል ዚጽሓፉ እዞም ዚስዕቡ ኢዮም።
መሬት፡ እንጌራ፡ ጤል፡ ሜላ፡ ሴፍ፡ ምሳሌ፡ ኣኼባ፡ መጽሔት፡ ቤት፡ ሜስ ወዘተ
ከምኡ'ውን እቶም ብቐጥታ ካብ ግእዝ ዚውሰዱ፤
ቅዳሴ፡ ስላሴ፡ ውዳሴ፡ ቡራኬ፡ ጉባኤ ወዘተ

ከሎን እንከሎን

ኣብ ቋንቋ ትግርኛ እን ወይ እና ናይ ግዜ ወይ መደጋገሚ ጥብቆ ቃላት ስለ ዝኾነ ተጠንቂቕና ከነዘውትሮ ይግባእ።
ኪበልዕ እንከሎ (ግጉይ)
እቲ ቅኑዕ፡ ኪበልዕ ከሎ
እናበልዐ ከሎ ኢዩ።
ይኹን'ምበር፡ ኣብኡ እንከሎኹ መጺኡ እሩም ኢዩ ትርጉሙ ኸኣ ኣብኡ እናሃለኹ ማለት ኢዩ።
ንኣብ፥ ኣብ ገዛ እንከሎ(እናሃለወ) ስለምንታይ ወጺኡ ትብለኒ፧

ኣሃዝ

ካብ ዓሰርተ ክሳዕ ዕስራ ዘለዉ ተርታውያን ኣሃዛት ኣብ መጠረስታኦም ው ዚብል ፊደል ከዘውትሩ ይግባእ።
ዓሰርተ ሓደ (ግጉይ)
እቲ ቅኑዕ ከምዚ ዚስዕብ ኢዩ፤

ዓሰርተው ሓደ

ዓሰርተው ክልተ

ዓሰርተው ሰለስተ ወዘተ

/ቐ/ከ/ኸ

ኣብ ትግርኛ "ቐ" ወይ "ኸ" ነብሱ ዝኸኣለ ፊደል ወይ ድምጺ ኣይኮነን። "ቀ" ኪፈኵስ "ቐ" ይኸውን: "ከ" ኪፈኵስ ከሎ "ኸ" ይኸውን።

ኣባ ማቴዎስ ሓጐስ- ኣብ መጽሓፊ ሰዋስዎም ገጽ7-8 ከም ዝገልጹዎ ከ ናብ ኸ: ቀ ናብ ቐ ዚልወጠሉ ኵነታት ከምዚ ዚስዕብ'ዩ:-

ሀ.)ቅድሚኡ ዘሎ ፊደል ክፉት ወይ ደምጻም ሳድስ እንተኾነ: ቀ ናብ ቐ: ከ ከኣ ናብ ኸ ይቕየር።

ንኣብነት:- ፍቕሪ: ንቕዱስ: እኽእሎ: ኣኽላባት: ፈኸራ: ደረቐ: ጸበቐ: ሰበኸ: ባረኸ።

ለ.) ቅድሚኡ ዘሎ ዓባስ ሳድስ እንተ ኾነ: ወይ ከኣ እቲ "ቀ" "ከ" ናይ ቃል መጀመርያ ፊደል ኮይኑ እንተ ተረኽበ: ብተሪሩ ይተርፍ። ንኣብ:-

በርቂ: ብርኪ: ቀረባ: ከልቢ: ዕርቂ: ወርቂ: በትኪ።

ሐ.) እቲ “ቀ” “ከ” ዚጠብቕ እንተ ኾነ ከኣ: ኲሉሳዕ ብተሪሩ ይተርፍ። ንኣብ:- ፈከረ: ደቀሰ: ደቒ: ወቀጠ:

እንዳ ፡እና

ኣብ ቋንቋ ትግርኛ እቲ እና ዚብል ቅድመ-ጥብቆ ናይ ምድግጋም ኵነታት ስለ ዚገልጸልና ኣብ ክንዲ እንዳ ምባል እና ምባል እሩም ኪኸውን ይኽእል።

ስለዚ፤

ዮሃንስ እንዳደወለ ሞኽ ኣቢሉኒ (ግጉይ)

ዮሃንስ እናደወለ ሞኽ ኣቢሉኒ (እሩም)

ከም፡ ካብ፡ኣብ........

ከም፡ካብ፡ ምስ ፡ ስለ፡ ብዘይ፡ ናይ፡ ናብ፡ እንተ፡ ካብ ግሲ ፍንትት ኢሎም ኪጸሓፉ ይግባእ።

ንኣብ፥ ካብ መጸ ተቐበሎ

ናብኡ ምስ ከድካ ርኸቦ

ኣቐዲምካ ስለ ዝበላዕካዮ ሕጂ ጠሚኻ

ብዘይ ወዓልኩዎ ገበን ተኸሲሰ

ናይ ዘይበላዕኩዎ መግቢ እኽፈሎሙኒ

ናብ ዝኸድካ እንተ ኸድካ ክረኽበካ እየ

እንተ ሰሊጡካ ንገረኒ

ዝ፡ ዚ

ዚ ኣብ ሳልሳይ ኣካል ዚዝውተር እኳ እንተ ኾነ፡ ምስ ሳልሳይ ኣካላት ሕሉፍን ምስ ቅጽላዊ ሓረጋትን ግን ኣይዝውተርን ኢዩ።

ንኣብ፥

እቶም ዓሚ ዝኸዱ ገያሾ

እቲ ጻዕዳ ዝጸጕሩ ሰብኣይ

እቲ በሊሕ ዝኣፉ መላጸ

ዕስራ ዝኣባላቱ ኮሚቴ

ብጫ ዝቈርበቶም ዓሌት

በዓል፡ ወዲ

በዓል ኪበዝሕ ከሎ ሰብ ይኸውን፡ወዲ ኸአ ደቂ ይኸውን
ንኣብ፥
በዓል ማይ= ሰብ ማይ
ወድሰብ = ደቅሰብ

ረቂቕ ስምን ግስን

ስሓቕ (ግሲ)
ሰሓቕ (ረቂቕ ስም)
ስዓል (ግሲ)
ሰዓል (ረቂቕ ስም)
ድርቂ= ድሩቕ ላኻ ወይ ርግሀ
ደርቂ=ነቕጺ
ገዓት = ብጠስሚ ዚብላዕ ዝበሰለ ብሑቕ
ግዓት= ናይ ገዓተ ትእዛዝ
ግዕዞ = ናይ ገዓዘ (ካብ ሓደ ቦታ ናብ ካልእ ኣልገሰ)ረቂቕ ስም
ጕዕዞ= ናይ ተጓዕዘ (ገየሸ)ረቂቕ ስም

ጥራሕ/ ጥራይ፡ ክሳዕ/ ክሳብ

ጥራሕ= ብዘይ ክዳን ምኳን
ጥራይ= ብሕቲ፡እንኮ
ክሳዕ= መለክዒ ግዜ (ክሳዕ ጽባሕ)
ክሳብ= መለክዒ ቦታ (ክሳብ መንደፈራ)

መጀመርታ፡ መጀመርያ

መጀመርታ= ስም(መጀመርታ ዘይብሉ እዋን)
መጀመርያ= ቅጽል(መጀመርያ ፍቕሪ)

ስርሑ፡ ስራሑ

ስርሑ= ናይ ሰርሐ ትእዛዝ
ስራሑ = ናቱ ስራሕ (ንሱ ናብ ስራሑ ከይዱ)

የሎን፡ የላን ፡የልቦን

የሎን= ንውሱን ሕቶ ይምልሽ
ስምኦን ኣሎዶ፤
የሎን
እቲ መጽሓፍ ኣብኡ ኣሎዶ፤
የሎን
እታ ማኪና ኣብኡ ኣላዶ፤
የላን
የልቦን= ንዘይውሱን ሕቶ ይምልሽ
ሽኮር ኣሎዶ፤
የልቦን

ናይ እ ምጉዳል

ኣብ ቋንቋ ትግርኛ ኣዛመድቲ ቅድመ-ጥብቆ ኪተርፉ ኣይግባእን
ተጽግበኒ ቅጫስ ኣብ መቐሎኣ ከላ እፈልጣ(ግጉይ)
እተጽግበኒ ቅጫስ ኣብ..............(ቅኑዕ)
እታ ትበልዕ ዘላ ኣድጊ (ግጉይ)
እታ እትበልዕ ዘላ ኣድጊ (ቅኑዕ)

ፍሉይ ብዝሒ

ኣብ ቋንቋ ትግርኛ፡ሓደ ቃል ብሳልስ ምስ ዚውድእ፡ኪበዝሕ ከሎ እቲ ሳልስ ናብ ሳድስ ይልወጥ ኢዩ።
ንኣብ፥ መገዲ= መገድታት
እቲ ቃል ንመሳርሒ ዚገልጽ ምስ ዚኸውን ግን፡ እዚ ሕግዚ ኣይሰርሕን
ንኣብ፥ መምርሒ= መምርሒታት
መራኸቢ= መራኸቢታት

ተፈጸመ